KB103283

경영학의 체계와 본질

경영학의 체계와 본질

발 행 | 2024년 02월 28일
저 자 | 진동수
펴낸이 | 한건희
펴낸곳 | 주식회사 부크크
출판사등록 | 2014.07.15.(제2014-16호)
주 소 | 서울특별시 금천구 가산디지털1로 119 SK트윈타워 A동 305호
전 화 | 1670-8316
이메일 | info@bookk.co.kr

ISBN | 979-11-410-7303-9

www.bookk.co.kr

경영학의 체계와 본질

경영학 박사 진동수 지음

CONTENT

들어가며

1998년 가을로 기억난다. 박사과정 중 고려대 경영학과 1학년 수업에서 햇병아리 강사로 학생들을 처음 만났다. 이후 경희대, 세종대, 서울시립대, 서울과기대에서 시간강사로 학생들을 만나고, 동시에 나 자신도 성장할 기회를 얻었다. 2002년 경인여자대학교에 임용된 이후로 경영학 및 디지털 기술 관련 과목을 담당해왔다. 교수 생활 동안 SK텔레콤, 엘지전자, 삼성전기, 현대백화점 등 여러 기업과 기관에서 재직자 특강을 진행하였고, 서울시 교육청, 인천시 교육청등 수도권 500여 초중고에서 교장, 교감, 장학사, 중등교원을 대상으로 특강을 또한 수행하였다. KOICA등 기관을 통하여 엘살바도르, 탄자니아, 모로코, 튀르기예, 베트남, 중국의 학생들과도 만날 기회를 얻을 수 있었다. 특히 2020년 코로나19 이후 비대면 플랫폼을 통해 학생들과 재직자들을 만나면서 경영학의 기본 원리를 더욱 쉽고 친절하며 흥미롭게 전달하는 방법에 대해 고민하다가 이 책을 집필하게 되었다.. 경영학이 가지는 본질은 무엇이고, 체계는 무엇인지 일상생활의 사례를 활용하고, GPT4를 활용하여 삽화를 만들어 보았다. 누구나 부담 없이 핸드북처럼 살펴볼 수 있도록 구성하였다. 본서를 통하여 경영학이라는 세계에 독자들이 쉽고, 재미있고 흥미롭게 접근하길 바라여 본다.

2024년 2월 계양산 연구실에서

제1장 자전거 배우기

아래 [그림1]은 무엇인가? 자전거이다. 자전거를 처음 배울 때, 이렇게 많은 부품이 있는 것을 몰랐고 의식하지도 않았다. 오로지 알고 있는 부품이라고는 핸들과 페달, 브레이크, 안장 정도였다. 그런데 우연한 기회로 자전거 교실이라는 곳에 참여할 기회가 있었다. 그 자전거 교실에서 배운 것은 자전거에 이렇게 많은 부품들이 있고, 부품들이 모두 존재 이유가 있고, 모두 고유한 작동원리가 있다는 것이다. 자전거를 구성하는 부품은 무엇이고, 존재 이유는 무엇이고, 작동원리는 무엇인지 알고 자전거를 타게 되니 커다란 변화가 나타났다. 서울에서 속초까지 약 160KM를 미시령 고개를 넘어 12시간 만에 주파가 가능하게 되었다.

[그림1] 자전거와 부품

1989년 대입 학력고사 체력장이 존재하던 시절 누구나 다 받던 20점 만점을 받지 못하고, 17점을 받았고, 군대에도 현역병이 아닌 18개월 방위병(필자주 : 요즘의 공익근무요원)을 다녀온 저질체력인 필자가 이전보다 힘을 덜 들이고 훨씬 먼 거리를 지치지 않고 다닐 수 있게 된 것이다.

자전거를 구성하는 부품, 작동하는 원리, 부품들의 존재 이유를 알고 자전거를 타면 이전보다 힘을 덜 쓰면서, 더 멀리, 지치지 않고 다닐 수 있는 것처럼, 경영이라는 것도 마찬가지이다. 경영이라는 것을 구성하는 것이 무엇이고, 어떻게 이와 같은 구성요소들이 작동하고, 이와 같은 요소들이 존재하는 이유를 알고, 경영을 수행하거나 경영이라는 현상에서 발생하는 여러 일들을 살펴보게 되면 이전보다 힘을 덜 들이고, 더 멀리, 지치지 않고, 앞서갈 수 있다.

본 저서의 목적이 여기에 있다. 경영학을 구성하는 체계는 무엇이고, 이를 통하여 경영학이 궁극적으로 지향하는 본질이라는 것은 무엇인지 알아서 이를 자신의 것으로 만들어 보도록 하는 것이다. 우리가 살고 있는 대한민국에는 기업이 370만 개가(23년 30인 이상 사업장 기준) 있고, 370만 개 기업에 1700만 명의 소위 월급쟁이가 있다. 2014년 대기업이라는 곳에서 벌어지는 일들을 다루었던 드라마 "미생"

과 2020년 중소기업 판 미생인 유튜브 드라마 "좋좋소"를 보면 여러 기업에서의 일들을 마주하게 된다. 기업에서 근무하는 이들의 희로애락을 바라보면서 기업에서 일어나는 일들을 체계와 본질적인 차원에서 접근하여 보도록 하자. 이를 통하여, 힘을 덜 들이고 지치지 않고 더 멀리 가는 방법이 무엇인지 본서와 함께 자전거 교실이 아닌 체계와 본질을 배우는 경영이라는 교실에 들어가 짝꿍과 의자에 앉아서 교탁 너머 칠판을 바라보자.

한마디 : 힘을 덜 쓰면서 덜 지치며
더 멀리 가보자.

제2장 혼밥, 혼술, 혼행

대통령이 바뀌고 정권이 바뀌면 새로운 정책이라는 것이 나타난다. 이명박 대통령의 대표적인 경제정책은 녹색경제이고, 이로 인하여 4대강 사업, 전국의 자전거 도로가 만들어지기 시작하였고, 박근혜 대통령의 대표적인 정책은 창조경제이었다. 지난 50년간 대한민국의 경제성장을 주도한 것은 저렴한 인건비에 기반한 노동집약이었다면, 이제는 새로운 가치창출을 통하여 패러다임을 바꾸어 보자는 방향 가운데 수행되었다. 문재인 대통령의 대표적인 정책은 사람

주도의 경제이고, 주 52시간 근무 법, 최저임금의 인상과 같은 정책들이 수행되었고 2024년 의대 정원 증원으로 떠들썩하였던 윤석열 대통령의 정책은 실용주의가 아닐까 생각된다.

문재인 정부 시절 최저임금의 인상을 두고 참 많은 말들이 있었다. 특히 700만 명에 달하는 전국의 자영업자들이 인건비 부담으로 폐업이 증가하고, 아르바이트생이 해고되고, 영업시간이 단축되는 여러 가지 부작용이 있는 것 또한 사실이다. 자영업 종사자들이 최근 이렇게 힘들어진 이유가 무엇일까? SBS 방송의 백종원의 골목식당을 보게 되면, 백종원 씨가 기본적인 준비도 없이 식당을 시작하는 분들께 불같이 화를 낸다. 이와 같은 맥락에서 첫 번째 이유는 자영업이라는 부분의 진입 장벽이 낮고 체계적인 준비가 없기 때문이고, 두 번째 이유는 자영업자가 인구 대비 너무 많기 때문이고, 세 번째 이유는 인건비 인상도 한 이유가 될 수 있고, 네 번째는 사회적인 부분에서 사람들의 상호작용 방식이 기존의 면대 면에서 비면 대면으로 급속하게 재편되고 있다는 점으로 볼 수 있다. 배달의 민족이나 쿠팡이츠와 같은 배달 앱들이 각광을 받고 있고, 맥도널드나 롯데리아 같은 곳에서 무인 무인안내기를 주문을 하게 되고, 이니스프리와 같은 화장품 매장에서 "혼자 볼게요"와 같은 오렌지색 바구니가 등장하게 되는 것이다. 다섯 번째 이유가 가장 큰 이유 중에 하나인데, 기존의 가구 구성이 4인 가구 중심에서 1인 가구 중심으로 급속하게 재편되고 있다는 점을 주목할 필요가 있다. 혼자 밥 먹는 것을 보이기 싫어서 이웃나라 일본에서는 화장실에서 밥 먹는 사람이 있을 정도로 혼밥, 혼술, 혼행은 자연스럽지 못하였지만, 어느 순간부터 자연스럽고, 흔한 모습이 되었다. 그런데, 자영업 식당을 운영하시는 분들 중에는 아직도 2인분 이상의 주문 방식을 고집하거나, 4인석 중심의 식탁을 고수하며, 혼자 오는 사람을 눈치 주는 것이 현실이다. 다시 말하자면, 사회는 변하고 있는데, 자영업자들은 여전히 이전 방식을 고수하는 것이다. 고객이 변하고 있고, 고객과 만남의 방식도 변하고 있고, 고객과 소통하는 방식도 달라지고 있다. 여기에 맞추지 못하는 사람(기업)은 도태되는 냉혹한 현실이다. "쎈 놈이 살아남는 것이 아니라 살아남는 놈이 쎄다"라는 2006년 방영된 "하얀거탑" 이라는 드라마속의 대사도 있다. 코로나19이후 새로운 삶의 방식, 즉 뉴노멀인 비대면과 무인화를 주목하고 변화하여야지 살아남는다.

한마디 : 쎈 놈이 살아남는 것이 아니라, 살아남는 놈이 쎈 것이다.

제3장 떡볶이를 먹어보자.

2023년에 중국 길거리 간식인 탕후루가 인기를 끌기도 하였지만, 1등 대한민국 국민 간식을 손꼽으라면 떡볶이라고 생각된다. 집에서 해먹는 떡볶이도 맛있지만, 남이 해주는 떡볶이와 사 먹는 떡볶이는 더 맛있는 법이다. 고독한 미식가 시즌 7의 한국 편에서는 주인공 하라상이 서울의 한 포장마차에서 떡볶이를 오뎅 국물과 함께 아침식사로 맛있게 먹는 장면이 나온다. 하라상은 한국어를 모르지만, 서투른 한국어로 이렇게 주문하였을 것이다. "아주머니! 떡볶이 1인분만 주시겠어요."라고 말이다. 우리들은 길거리 포장마차에서 "아주머니! 아저씨!"를 외치며 떡볶이와 같은 분식을 자연스럽게 사먹을 수 있다.

[그림2] 고독한 미식가[1]

이번에는 두끼 같은 프랜차이즈 전문점을 방문하여 떡볶이를 주문하여 보자. 계산대에 서 계신 분께 "아저씨 떡볶이 3인분 주세요."라고 외칠 수 있는데, 아저씨라고 외치면 계산대에 서 계신 분이 약간 어색

1) 도로마 코리아, 2019년 8월 28일
https://www.youtube.com/watch?v=di8WjN4SJIw

하게 쳐다보시면서 주문을 받으실 것 같다. 두끼와 같은 프랜차이즈 전문점 정도 되는 곳을 운영하시는 분께는 “아저씨”나 “아줌마”라는 호칭보다는 “사장님” 이라는 호칭이 더 적당할 것 같다. 포장마차든 프랜차이즈 전문점이든, 떡볶이를 판매하는 목적은 결국 돈을 벌기 위함이다. 똑같이 돈 벌려고 이와 같은 행위를 수행하는 데, 누구는 “아저씨”, 누구는 “사장님” 이 되는 차이는 무엇일까? 포장마차 하는 분을 보통 “장사” 하는 분이라고 한다면 프랜차이즈를 하는 분은 “경영” 하시는 분이라고 말할 수 있다. 한쪽에서는 단순히 물건을 판매하는 장사를 하며, 다른 한쪽에서는 조직을 운영하며 체계적으로 수익을 창출하는 경영을 한다. 그렇다면 장사와 경영의 차이는 무엇일까? 이를 체계의 유무로 살펴보고자 한다.

한마디 : 아저씨와 사장님

제4장 찐빵, 우동, 오뎅

제 3장에서 포장마차를 하시는 분은 손님들로부터 아저씨라는 소리를 자주 듣지만, 프랜차이즈 전문점인 두끼에서 떡볶이를 판매하시는 분은 사장님이라는 소리를 자주 들을 수 있다고 하였다. 그리고 그 차이점을 포장마차를 하시는 분은 장사를 하시는 분이시고 두끼 정도 되면 사업 혹은 기업 혹은 경영을 하시는 분이라고 하였다. 아저씨를 사장님으로 만드는 경영의 가장 큰 특징, 더 나아가 본질은 무엇일

까? 본질에 대하여 네이버나 구글 같은 검색엔진이나, ChatGPT 같은 도구를 사용해 'Essence'의 의미를 검색하면, '사물이나 현상을 근본적으로 성립시키는 성질'이라고 검색된다. "영어로 Essence이고, 사물이나 현상을 근본적으로 성립시키는 성질"이라고 말이다. 무슨 의미인지 겨울철에 편의점에서 판매되는 인기 제품인 찐빵을 예로 들어 보자.

[그림3] 찐빵, 우동, 오뎅의 본질은 ?

찐빵이 다른 찐빵보다 맛있으려면 찐빵의 가장 중요한 부분은 무엇일까? 아마 찐빵속의 팥(일본말로 앙꼬라고도 한다)일 것이다. 팥이 없는 찐빵은 더 이상 찐빵이 아니고, 찐빵의 가장 본질적인 부분은 팥이다. 필자가 자주 가는 서울 전철 을지로 3가역 부근의 동경우동이라는 우동집이 있다. 이곳에서는 가성비 높은 우동을 맛있게 먹을 수 있는데, 먹을 때마다 쫄깃하고 탄력 있는 면발에 감탄하게 된다. 쫄깃하고 매끈한 면발이 없는 우동은 더 이상 우동이 아니고, 우동의 가장 중요한 본질은 쫄깃하고 매끈한 면발이다. 우동을 먹은 다음, 을지로3가역에서 충무로역 부근으로 걷다보면, 필동분식이라는 연탄불에 구워주는 닭꼬치가 맛있는 집이 있다. 이곳에서 닭꼬치를 주문하면 수북하게 오뎅탕을 한 대접 무료로 제공하는데, 먹을 때마다 감탄하는 것이 무료지만, 맛도 수준급이라는 것이다. 맛있는 비결을 살펴보니, 큰 냄비에서 모락모락 김을 내며 끓고 있는 오뎅 국물이었다. 얼큰한 국물이 빠진 오뎅은 더 이상 오뎅이 아닌 것이다. 달콤한 팥 없는 찐빵, 쫄깃한 면발 없는 우동, 매콤한 국물 없는 오뎅 모두 찐빵, 우동, 오뎅이 아니듯이, 장사와 경영을 구분 지을 수 있는 경영의 가장 본질적인 부분은 무엇일까? 공통적인 본질은 수익창출에 있다. 그런데, 어떤 것은 장사가 되고, 어떤 것은 경영이 되는 가장 근원적인 차이는 무엇일까? 바로 체계라는 것의 있고 없고의 차이이고, 이와 같은 체계가 존재하게 되면, 지속성이라는 것이 생기게 되고, 우리가 1년 후, 5년 후, 10년 후에 무슨 일을 하여야 할지가 명확하여 진다. 장사와 경영의 공통점은 수익창출이고 가장 큰 차이점은 지속성 여부에 있다. 경영에서 지속적인 수익창출이 가능하게 만드는 것은 장사와 경영에 공통으로 존재하는 어떤 것을 경영은 체계적으로 관리하지만, 장사는 그렇지 않다는 것에 있다. 그렇다면 경영이 체계적으로 관리하는 어떤 것은 무엇일까?

한마디 : 경영의 본질은 지속적인 수익을 창출하는 것이고, 이를 위한 체계가 필요하다.

제5장 돈, 돈, 돈

21세기를 살고 있는 우리들의 일상을 지배하는 가장 큰 경제법칙은 자본주의이고 한때 자본주의 경쟁자로 공산주의가 대두되기도 하였다. 공산주의 사상의 이론적 근거를 제시한 것이 칼 마르크스의 자본론이라면 자본주의 사상의 이론적 근거의 첫 출발점은 애덤 스미스의 국부론이다.

국부론의 저자인 애덤 스미스가 남긴 어록 중에 이

와 같은 말이 있다.

[그림4] 애덤 스미스의 국부론을 읽는 사람들

“인간이 가장 원하는 것은 다른 사람의 존경과 우대를 받는 것이고, 가장 싫어하는 것은 무시와 경멸을 당하는 것이다. 사람들은 지혜와 덕이 아니라 이것을 가진 사람을 존경하고, 이것이 없는 사람을 업신여기기 때문에, 사람들은 이것을 얻으려고 하는 것이다.” 애덤 스미스가 말한 이것은 무엇일까? 바로 돈이다.

로미오와 줄리엣, 리어왕, 햄릿의 작가인 영국의 셰익스피어는 다음과 같이 말하였다. “아버지가 누더기를 걸치면, 자식들은 다 모른척하지만, 아버지가 이 주머니를 차고 있으면 자식들은 다 효자가 된다.” 라고 말했다. 여기서 이 주머니는 무엇일까? 군주론을 집필한 이탈리아의 마키아벨리는 다음과 같이 말하였다. “아버지의 죽음은 쉽게 잊지만, 이것의 상실은 잊지 않는다.”라고 말이다. 여기서 이것은 무엇일까? 역시 돈이다.

[그림5] 셰익스피어와 마키아벨리

중국 역사서 사기의 작가인 사마천은 다음과 같이 말하였다. “자신보다 이것이 열 배 많으면 질투하고, 자신보다 이것이 백 배 많으면 두려워하고, 자신보다 이것이 천 배 많으면 고용 당하고, 자신보다 이것이 만 배 많으면 노예가 된다.”라고 말이다. 2천 년 전 말이지만, 2024년 현재의 우리들의 본성을 꿰뚫고 있는 명언이 아닐까 생각된다.

애덤 스미스, 셰익스피어, 마키아벨리, 사마천이 말한 “이것”은 돈이다. 2021년 9월 넷플릭스 OTT 드라마 오징어 게임 시즌1에서 456명의 참가자들이 서로를 죽여 가며 게임하였던 가장 큰 이유 또한 바로 돈 때문이었다.

공자의 제자인 맹자는 이런 말을 하였다. “항상(恒常)이 항심(恒心)이다”라고 말했다. 우리말로 번역한다면, “무릇 사람이라면 반듯한 직업이 있어야, 한결같은 마음이 생긴다.”라고 말이다. 여기서 “반듯한 직업”은 무엇을 의미할까? 적어도 먹고 사는 문제를 해결할 수 있는 “돈”이라는 재화를 어느 정도, 의식주의 문제를 해결할 수 있는 수준의 직업을 의미한다.

3장에서 언급한 떡볶이 가게라는 "장사"와 두끼와 같은 "사업 혹은 경영"의 공통적인 부분은 바로 이와 같은 "돈"을 벌기 위하여 기본적으로 다양한 행위가 수행된다는 점에 있다. 그런데 누구는 아저씨, 누구는 사장님이 되게 만드는 장사와 경영의 본질적인 차이는 무엇일까? 바로 "지속성"이고 "지속성"을 가능하게 만들기 위해서는 "체계"라는 것이 존재하여야 한다. 여기서 "지속성"과 "체계"라는 것은 1년 후에도, 5년 후에도, 10년 후에도 수익이라는 것이 지속적으로 발생하게 만드는 일련의 체계로 정의할 수 있다.

장사든 경영이든 체계적으로 관리해야 할 세 가지는 사람, 돈, 시설이다. 장사는 이들을 체계적으로 관리하지 않는 반면, 경영은 체계적으로 관리한다. 장사는 사람(Man)을 체계적으로 관리하지 않지만, 경영은 사람(Man)을 체계적으로 관리한다. 장사는 돈(Man)을 체계적으로 관리하지 않지만, 경영은 돈(Money)을 체계적으로 관리한다. 장사는 시설(Machine)을 체계적으로 관리하지 않지만, 경영은 시설(Machine)을 체계적으로 관리한다.

여기서 사람(Man), 돈(Money), 시설(Machine)을 약어로 3M으로 제시할 수 있다. 경영(비즈니스)은 이와 같은 3M을 체계적으로 관리하는 방법이고, 3M을 체계적으로 관리하게 되며 지속적인 수익창출이 가능하다.

한마디 : 경영은 3M이라는 체계를 가지고
지속적인 수익을 창출하게 만드는 것이다.

제6장 경영의 세 가지 책임

경영은 지속적인 수익을 창출하기 위한 세 가지 체계를 관리하는 것으로 전장인 제5장에서 정의하였다. 이와 같은 행위의 주체인 기업은 단순히 돈을 벌기 위한 행위의 주체가 아니다. 즉, 수익 창출이 모든 것을 의미하는 것은 아니다.

사회가 더 복잡해지고 다양한 이해관계자들(정부,

지역, 소비자단체, 시민단체)이 존재하는 현실에서 경영을 수행하는 주체(여기서는 기업으로 대표)는 세 가지 책임을 수행하여야 한다. 장사꾼이 아니라 경영자가 되기 위해서 준수하여야 하는 세 가지 책임은 다음과 같다.

첫 번째 책임은 경제적 책임이다. 경영이 제대로 이루어지려면 수익을 창출하여야 한다. 이를 경제적 책임이라고 할 수 있는데, 수익 창출이라는 측면에서는 장사와 차이가 없지만, 경영과 장사의 본질적인 차이점은 지속성과 체계성이라고 언급하였다. 여기서 체계란 사람에 대한 체계, 돈에 대한 체계, 시설에 대한 체계이고, 경영학이라는 학문에서는 사람에 대한 체계를 배우는 분야를 "인사관리" 혹은 "인적자원관리"라고 한다. 기업에서는 인사관리 부서가 이와 같은 일을 담당한다. 돈에 대한 체계를 "회계와 재무"라는 이름으로 말하고 있고, 기업에서는 경리, 회계, 재무부서에서 이를 담당한다. 시설에 대한 체계는 "생산관리 혹은 경영정보시스템"이라는 이름으로 말하고 있고, 기업에서는 이를 생산관리팀, 시설팀,

전산실이라는 부서를 중심으로 수행하고 있다.

두 번째 책임은 법적 책임이다. 경영이 제대로 이루어지려면 수익을 창출하는 행위에 있어서 법과 제도적인 측면에서 법률, 규정을 준수하여야 한다. 이를 법적 책임이라고 할 수 있는데, 수익이라는 부분에 집착하여 부정한 방법으로 제품을 제조하거나, 제품 안전에 필수적인 검증 절차를 생략하고 제품을 출시하거나, 프랜차이즈 기업의 본사가 가맹점을 상대로 위반행위를 수행하는 것은 법적 책임을 준수하지 못하는 것이다. 경영학에서는 법적 책임을 '상법' 등의 분야를 통해 다루며, 기업은 법무팀이나 총무팀을 통해 법적 문제를 처리한다.

세 번째 책임은 사회적 책임이다. 경영이 경영다우려면 경제적 책임, 법적 책임을 다한 후에 현대기업일수록 그 중요성이 더해가고 있는 사회적 책임(윤리적 책임)을 다하는 것이 필요하다. 예를 들어, 한국도로공사에서 고속도로 요금소 현금 수납원 고용을 줄이고 하이패스를 전격 확대하여 전면적인 무인화를 실시할 수 있지만, 수납원의 고용안정을 위하여 이를 전면적으로 실시하지 않는다. 이마트와 같은 할인점에서 전자카트와 무인계산을 전면 확대하여 계산원 고용을 줄이고 전면적인 무인화를 실시할 수 있지만, 계산원의 고용안정을 위하여 급격한 실시를 보류하는 행위는 기업의 사회적 책임 차원에서 이해할 수 있다. 더 나아가 지역에 기반을 둔 기업이 지역주민에게 문화행사를 개최하거나 도서관을 건립하거나, 지역인재를 우선적으로 채용하는 것과 같은 수행하지 않는다고 법적으로 문제가 되지는 않지만, 기업이 기업다우려면 수행하여야 하는 행위들이 이에 포함된다. “경영학”이라는 학문에서는 이와 같은 사회적 책임에 대하여 “윤리경영”이나 “지속가능 경영” 혹은 “기업의 사회적 책임”에서 다루고 있고, 점점 많은 기업들이 이와 같은 사회적 책임을 위한 기능들을 기업 내 조직에 포함하고, 최근 이를 포괄한 ESG(환경, 사회, 거버넌스) 활동이 강조되고 있다.

한마디 : 세 가지 책임을 기억하자.

제7장 가치를 만들어보자

경영은 세 가지 책임을 다하며 지속적인 수익을 창출하는 것이 경영의 목표라고 정의하였다. 여기서 말하는 세 가지 책임은 경제적, 법적, 사회적 책임을 의미한다. 또한 세 가지 체계는 사람(Man)에 대한 체계, 돈(Money)에 대한 체계, 시설(Machine)에 대한 체계라고 말하였다. 이번 7장에서는 지속적으로 수익을 창출하기 위해서는 기업이 하여야 할 일 중 고객에게 가치를 제공하기 위하여 다양한 활동을 수행하는데 여기서 가치에 대하여 살펴보고자 한다.

고객이 자신의 돈을 기꺼이 지불하도록 만들기 위해서는, 고객에게 충분한 반대급부, 즉 가치를 제공해야 한다. 예를 들어보자. 이제는 혼밥이 낯설지 않은 점심시간에 편의점에서 많이 팔리는 상품 중 하나는 편의점 도시락이다.

[그림6] 편의점 도시락을 고르는 고객

고객이 편의점 도시락을 사도록 만들기 위해서는, 편의점 도시락이 고객에게 줄 수 있는 그 무엇이 필요한데, 여기서 그 무엇은 맛, 저렴함, 간편함, 영양 등 다양한 요소로 구성될 수 있다. 어떤 사람은 편의점 도시락이 저렴함으로 산한다고 말하기도 하고, 어떤 사람은 신속하게 식사를 해결할 수 있도록 하는 간편함 때문에 산다고 말하기도 하고, 어떠한 사람은 맛이 있음으로 산다고 말하기도 한다. 고객이 편의점 도시락을 구매하도록 만들려면, 편의점은 맛, 저렴함, 간편함 등의 가치를 통해 고객에게 편익을 제공해야 한다. 고객들은 왜 맛, 저렴한, 간편함, 영양이라는 편익의 묶음인 가치를 얻기 위해서 편의점 도시락을 구매할까? "그것은 입맛이 없어서", "배가 고파서", "시간이 없어서"와 같은 이유가 있을 것이다. 고객에게 이와 같은 가치를 전달하기 위해서는 상품구입의 이유가 무엇인지 고객 측면에서 이해하여야 하는데, 이를 고객의 욕구라고 할 수 있다. 고객의 욕구는 사람이라면 누구나 가지고 있는 근원적인 부분에서 시작하는데, 매슬로우는 이를 욕구 5단계설로 나타내었다. 욕구 5단계설은 피라미드 형태로 나타낼 수 있고, 다음과 같이 설명할 수 있다.

제일 먼저 기본적 욕구는 생존하기 위하여 필수적인 근원적인 욕구로 의식주에 대한 욕구, 수면에 대한 욕구, 이성에 대한 욕구, 편하고 싶은 욕구가 해당한다. 이와 같은 욕구가 충족되면 사람들은 외부의 위협에 대한 안전에 대한 욕구에 대한 충족을 희망하며 이와 같은 욕구가 충족되고 나면, 특정 집단에 소속되고 싶은 사회적 욕구가 존재하며, 이와 같은 욕구가 충족되면 타인과의 관계에 있어서 애정, 인정, 존경 등의 욕구가 존재하며 최종적으로 자아실현의 욕구가 존재한다.

이와 같은 욕구를 충족하기 위하여 사람들은, 먹을 것, 입을 것, 잘 곳을 구입하고, 이성을 만나기 위한 모임에 회비를 지불하며 참여하기도 하고, 주택에 CCTV를 설치하기도 하고, 동아리 활동을 하거나, 친목모임에 참여하고, 카톡 방에서 메시지를 주고받기도 하고, 종교적 활동, 명상 등의 활동을 수행하기도 한다.

기업에서는 이와 같은 고객이라는 사람의 욕구를

충족시키기 위하여 가치를 만들어 제공한다. 먹고 싶은 욕구를 충족시키기 위하여, 편의점에서는 4,500원 가격의 도시락을 판매하고, 아웃백에서는 10,000원짜리 도시락을 판매하고, 빕스에서는 30,000원짜리 스테이크를 판매하고, 신라호텔 뷔페에서는 200,000원짜리 런치뷔페를 판매할 수 있다.

고객들은 자기 배고픔의 욕구를 충족하기 위하여 이처럼 다양한 가치들을 선택할 수 있는데, 이때 고려하여야 하는 중요한 부분은 고객의 경제적 상황, 즉 수요이다. 기업은 고객의 욕구를 파악하고, 이를 충족시킬 수 있는 가치를 제공하여 수익을 발생시키며, 법과 윤리적, 사회적 책임을 다하여야 한다.

그렇다면 지속성을 가능하도록 만드는 데 필요한 체계는 무엇일까? 장사에 존재하지만, 장사는 이를 체계적으로 관리하지 않지만, 경영은 이를 체계적으로 관리한다. 바로 사람, 돈, 시설에 대한 체계이다.

한마디 : 고객의 욕구를 파악하고 이를 충족시킬 수 있는 가치를 제공하고, 가치를 만들기 위한 체계를 만들자.

제8장 사람이 먼저다

국내 기업 중 모 기업이 광고로 "사람이 먼저다"라는 광고를 대대적으로 수행하는 가운데, 구조조정을 하여야 할 상황이 발생하자, 신입직원까지 구조조정 대상에 포함시켜 논란을 일으켰다. 지속적인 수익을 창출하기 위한 체계에는 사람, 돈, 시설이 존재한다고 전술하였다. 이와 같은 세 가지 체계 중 가장 중요한 것은 무엇일까? 사람이라는 관점에서 이를 살펴보자. 조선 후기 순조 임금 때 최고의 거상이었던 임상옥은 이와 같은 말을 남기었다. "장사란 이익을 남기기보다 사람을 남기기 위한 것이다. 사람이야말로 장사로 얻을 수 있는 최고의 이윤이며, 따라서 신용이야말로 장사로 얻을 수 있는 최대의 자산이다." P&G의 회장이었던 리처드 듀프리는 "누가 우리의 돈, 건물, 브랜드를 남겨 놓고 직원들을 데리고 떠난다면 우리는 망할 것이다. 그러나 모든 것을 가지고 가더라도 직원들을 남겨둔다면 우리는 10년 안에 반드시 일어선다."라고 말하였다." 초패왕 항우를 이기고 한나라를 건국한 한고조 유방은 "장막 안에서 계책을 세워 천리 밖에서 승리를 거두게 하는 데 있어서 나는 장량만 못하다. 국가의 안녕을 도모하고 백성을 사랑하며 군대의 양식을 대주는데 있어 나는 소하만 못하다. 백만대군을 이끌고 나아가 싸우면 이기고 공격하면 반드시 빼앗는데 있어 나는 한신만 못하다. 하지만 나는 이들을 얻어 그들의 능력을 충분히 발휘하도록 해주었다. 바로 이것이 내가 천하를 얻은 까닭이다."라고 말이다. 임상옥, 듀프리, 유방의 말에는 공통점이 있다. 세 사람 모두 사람을 가장 중요한 요소로 본다는 것이다.

기업에서 업무를 수행하기 위하여 필요한 역량은 크게 두 가지로 구분할 수 있다. 하나는 일(Work)을 잘하는 부분이고, 또 하나는 사람(Man)에 대한 부분으로, 사람간의 관계를 잘 조율하고 동기부여하고 관리할 수 있는 것이다. 전자를 업무역량(Work skill)이라 하고 후자를 대인역량(Man skill)이라 한다. 기업의 구성원으로 있을 때 이와 같은 업무역량과 대인역량 모두 필요한데. 기업의 직급별로 사원부터 대표이사에 이르기까지 필요한 역량의 비율은 달라진다. 하위직급인 사원이나 대리에게 중요한 역량이 사람에 관한 역량 보다는 상대적으로 일을 잘하는 역량의 비율이 높으면, 상위직급으로 올라갈수록 일 자체를 잘하는 역량의 비중보다는 고객, 공급자, 직원이라는 사람 간의 관계를 잘 조율하고 동기부여하고 관리할 수 있는 대인 역량에 대한 비율이 더 높아지게 된다. 흔히 기업의 관리자, 리더(Leader)라고 하는 사람들은 바로 업무역량보다 대인 역량의 중요성이 높아지는 시점에 놓인 사람이다. 장사와 경영을 구분할 수 있는 가장 큰 출발점이 지속성이고, 지속성을 가능하게 하는 것이 체계인데, 돈에 대한 체계, 시설에 대한 체계도 중요하지만 가장 우선순위에 놓일 수 있는 체계는 사람에 대한 체계가 먼저이고, 이 사람은 고객이라는 사람, 경쟁자라는 사람, 직원이라는 사람이 있고, 기업에서는 고객이라는 사람에 대한 체계를 만들어야 하고, 경쟁자라는 사람에 대한 체계를 만들어야 하고, 직원이라는 사람에 대한 체계를 만들어야 한다. 경영학에서 고객에 대한 체계를 집중적으로 다루는 분야가 마케팅이고, 경쟁자에 대한 체계를 집중적으로 다루는 분야가 전략이고, 임직원에 대한 체계를 집중적으로 다루는 분야가 인적자원관리임을 다시 한 번 강조한다. 이와 같은 세 가지 체계는 어떻게 만들어야 하는가? 이에 대하여 다음 장부터 본격적으로 살펴보자.

한마디 : 사람, 돈, 시설 중 그 중에 제일은 사람이라!

제9장 표 내는 곳

어느 지역 고속버스 터미널에서 표 구입처를 찾다가 '표 파는 곳' 표지판을 발견했다. 바로 “표 파는 곳”이라고 써져있는 표지판이다.. 표지판을 보았으니 해당 표지판을 따라가 고속버스표를 구입하면 그만이겠지만, 순간적으로 화가 났고 짜증이 났고 불쾌하여졌다. “표 파는 곳”이라는 표지판 자체는 하나도 이상하지 않는데, 이 표지판을 보고 필자가 이와 같은 생각을 가졌다면 필자가 조금 이상한 사람이라고 생각할 수 있다. 일반적인 사람이 보기에 “표 파는 곳"이라는 표현은 조금도 이상하지 않지만, 경영학을 공부하는 독자로서 그렇게 간주하여서는 안 된다. 전술하였듯이 우리는 아저씨가 아니라 사장님, 장사꾼이 아니라 경영자가 되고자 경영학을 공부하고 있다. 장사와 경영을 구분 짓는 첫 출발점이 체계의 유무이고, 이와 같은 체계의 첫 번째가 사람에 대한 체계이고, 사람을 고객, 경쟁자, 직원으로 구분하여 고객이라는 체계의 관점에서 보면 "표 파는 곳"이라는 표지판은 매우 잘못된 것이다.

[그림7] 표 파는 곳이 아닌 표 사는 곳

"표 파는 곳"이라는 문장 앞에 주어가 생략되어 있

는데 주어가 무엇일까? 지금 누가 표를 팔겠다는 것인가? 매표소 직원일 것이다. 터미널 앞에 크게 현수막이 걸려 있었다. "고객중심, 고객제일, 고객감동"이라고 말이다. 해당 터미널이 고객중심이라는 마인드로 경영을 담당한다면 주어가 매표소 직원이 아니라 고객이 되어야 한다. 고객이 주어가 된다면 고객은 표를 파는 존재가 아니라 사는 존재이다. "표 파는 곳"이 "표 사는 곳"이 되어야 하고, "판매"라는 용어 대신에 "구매"라는 용어가 사용되어야 한다. 이는 고객 중심의 서비스 접근 방식을 반영하며, 고객의 입장에서 경험을 개선하려는 노력의 일환이다.

[그림8] 표 받는 곳이 아닌 표 내는 곳2)

또 한 번은 어느 지자체가 운영하는 관광지를 찾은 적이 있었다. 관광지를 입장하기 위해서는 표를 구입하고 검표소 직원에게 이를 내고 입장하여야 하는데, 검표소 직원 앞에 놓여 있는 입간판에 쓰여 있는 문구가 위 [그림8]과 같았다. “표 받는 곳”이라고 말이다. 해당 관광지를 운영하는 책임자에게 이곳의 주인은 누구입니까? 질문한다면 당연히 고객이라고 말할 것이다. 고객이 주인이고 고객이 주체라면 검표원 앞에 놓여 있는 현수막은 대단히 잘못된 것이다. “표 받는 곳”이라고 표기되어서는 안 되고, 주어가 고객이 되어 “표 내는 곳”이 되어야 한다.

대학이나 교육기관에서 교육이 이루어지는 곳은 강의실이다. 필자는 ‘강의실’보다는 ‘학습실’이 더 적절하다고 생각한다. “강의”는 누가 하는가? 바로 교수자가 수행하는데, 강의실의 주인은 더 이상 교수자가 아니라 학생이 되어야 한다. 교수자 입장에서는 “강의”를 수행하기 때문에 “강의실”이라는 표현이 맞지

2) 본 사진은 저자가 직접 촬영한 사진이다.

만, 이곳의 주인이 학생이라면 학생입장에서는 학습하고 있거나 수강하고 있기 때문에, "강의실"이 아니라 "학습실" 혹은 "수강실"이 되어야 한다. 단어 하나 바뀌게 될 때, 학생들은 더 이상 피동적인 존재가 아닌 능동적인 존재로 변화된다.

고객에 대한 체계의 시작은 이와 같다. "표 파는 곳"이 아니라 "표 사는 곳"이 되어야 하는 것처럼 기업의 용어, 프로세스의 주어를 "고객"으로 바꾸는 것에서 시작한다.

한마디 : 고객이 주어가 되어야 한다.

제10장 차별화, 차별화, 차별화

장사와 경영을 구분하는 첫 번째 차이점은 체계의 유무이다. 세 가지 체계 중 사람에 대한 체계가 가장 중요하며, 이와 같은 사람은 고객, 경쟁자, 직원이 포함됩니다. 이번 제 10장에서는 이 중 경쟁자에 대한 체계를 살펴볼 것이다.

국내 편의점은 2024년 기준 CU, GS25, 세븐 일레븐이 가장 대표적이다. 세 곳이 지배하던 편의점 시장에 신세계가 위드미라는 편의점을 인수하고 다시 이마트24로 이름을 바꾸어 편의점 업종에 진출하였다. GS25의 관점에서 볼 때, 이마트24는 경쟁자이다. 이마트24가 없다면 매출 증가의 기회가 늘어날 것이지만, 이마트24 같은 경쟁자의 존재는 필요하다. 그 이유는 다음과 같이 세 가지이다.

첫 번째, 시장을 창출하고 유지하기 위해서이다. 다른 말로 "야 너두 영어할 수 있어"라는 광고로 유명한 조정석씨가 "참치--- 참치---"라는 CF 광고를 선보였던 동원참치를 예로 들어 보자. 1980년대 초반에 동원참치 통조림이 처음 등장하였을 때, 슈퍼마켓 판매대에서 동원참치를 처음 접하였던 소비자들은 무척 낯설었다. 고등어나 꽁치 통조림은 알겠는데 갑자기 참치 통조림을 접하니까, 2024년 소비자들에게 갑자기 잉어 통조림이나, 붕어 통조림을 선보이면 낯설어하는 것처럼 판매가 신통치 않았다. 이때 동원참치의 경쟁기업인 사조산업이 참치 통조림을 출시하였고, 잇달아 오뚜기도 참치 통조림을 출시하였다. 동원참치 입장에서, 사조참치는 경쟁자임이 틀림없지만, 슈퍼마켓 판매대 위에 동원참치와 같이 사조참치가 진열되기 시작하면서, 소비자에 대한 참치 통조림 노출빈도가 많아지기 시작하였고, 참치 통조림이 이제는 더 이상 낯선 제품이 아니게 되었다. 결과적으로 구매가 일어나기 시작하였다. 동원참치 단독으로 판매하였을 때보다 사조참치가 판매되기 시작하니까. 참치 전체 시장이 크게 성장하기 시작하였다. 경쟁자는 부담스럽지만, 없어서는 안 되고 반드시 있어야 한다. 바로, 경쟁자의 존재는 시장에 다양성을 더하고 소비자의 관심을 끌어, 시장의 전체 크기를 확장시키는 역할을 수행하기 때문이다.

두 번째, 제품과 서비스 혁신의 기회를 만들 수 있기 때문이다. 우리나라 우유 시장은 서울우업, 매일유업, 남양유업이 대표적인 기업으로 우유제품을 시장에 공급하였다. 이런 와중에 민족사관고등학교를 설립한 파스퇴르 유업이 유제품을 생산하면서, 기존의 우유와 완전히 차별화된 새로운 개념의 우유를 시장에 출시하였다. 3개 기업이 사이좋게(?) 지배하던 우유 시장에 메기효과가 발생한 것이다. 흰 우유,

초코우유, 딸기우유 정도를 꾸준하게 생산하면서 만족하던 기존 우유업계가 긴장하면서 이전에는 존재하지 않았던 새로운 혁신적인 제품들을 출시하기 시작한 것이다. 서울우유나 매일유업 관점에서 파스퇴르 유업은 경쟁자이지만, 경쟁자로 인하여 제품혁신과 차별화에 대한 시작점이 발생하는 것이다. 경쟁자는 부담스럽지만, 없어서는 안 된다. 있어야 한다. 바로 제품과 서비스 혁신의 기회를 만들 수 있기 때문이다.

세 번째, 경쟁자의 존재는 제품의 표준을 선점하고 대정부 협상력을 강화하는데 유리하다.

맥주를 즐기는 나이가 지긋한 분들이 하시는 말씀이 있다. OB맥주와 크라운맥주만 있을 때는 맥주 맛이 구수하였는데 카스맥주가 나온 다음부터는 맥주 맛의 구수함이 사라지고 탄산음료처럼 변했다고 말이다. 다음과 같은 이유로 타당하다. 1970년대 우리나라 맥주 기업 중 가장 대표주자는 OB 맥주와 크라운 맥주(현 하이트 맥주)이었다. 70년 대 후반 2

차 오일쇼크 이후 맥주의 중요한 원료인 홉(hop)의 비율을 낮추어도 맥주로 인정받고자 정부에 관련 법령 개정을 줄기차게 요구하였는데, 정부는 요구를 들어주지 않았다. 이와 같은 와중에 제3의 기업 카스 맥주가 등장하였고, 크라운 맥주는 회사명을 하이트로 변경하였다. 과거 OB, 크라운이라는 2개 업체가 정부와 협상 하였을 때는 정부의 태도가 변경되지 않았는데, OB, 하이트, 카스라는 3개의 업체가 정부에 관련 법령을 요구하니 정부에서 결국 요구에 굴복(?)하게 되었다. 이때부터 맥주 특유의 구수한 맛이 사라지고, 탄산이 많이 들어간 맥주 맛 나는 음료수처럼 되었다는 비판을 피할 수 없다.

이와 같은 이유로 경쟁자의 존재가 중요하다. 그러면, 고객이 경쟁자 대신 우리 제품을 선택하도록 만들기 위해 어떤 조치를 취해야 할까? 정답은 차별화이다. 2024년 2월 기준 외국인 관광객들이 한국을 방문하면 꼭 들리는 곳이 명동이나 고궁이 아닌 서울 홍대 부근에 있는 라면 도서관이다.

[그림9] 홍대 라면 도서관[3]

귀하가 농심의 신라면 브랜드 담당자가 되었다고 가정하여 보자. 수백 가지 라면 중 신라면이 고객의 선택을 받게 만들려면 무엇을 하여야 할까? 방법은 세 가지가 있다. 첫 번째, 경쟁회사의 라면보다 신라면이 맛있으면 되고, 두 번째, 경쟁회사의 라면보다 신라면이 100원이라도 저렴하면 되고, 세 번째, 경쟁회사의 라면이 공략하지 못하는 고객층, 예를 들어 비건 신라면이나 할랄(이슬람) 신라면을 판매하면

3) 노컷뉴스, 2022년 2월 12일자, https://www.nocutnews.co.kr/news/6093556

된다. 첫 번째, “경쟁회사보다 맛있는 라면을 만들자.” 이를 제품 차별화라고 할 수 있고, 두 번째 “경쟁회사보다 저렴한 라면을 만들자.” 이를 가격 차별화라고 할 수 있고, 세 번째, “경쟁회사보다 고객의 요구에 부응하는 맞춤화된 라면을 만들자.” 이를 고객 차별화라고 할 수 있다.

2020년 2월 아카데미 4관왕에 오른 영화 기생충을 보게 되면, 기택, 기우, 기정, 충숙 네 식구가 음주를 하는 장면이 세 번 등장한다. 첫 번째는, 기택이 가족이 거주하던 반지하방에서 필라이트라는 맥주를 마신다. 왜 하필이면 필라이트일까? 실업 상태로 피자상자 포장 알바만 전전하던 기택 가족은 돈이 부족하였을 것이다. 그래서 가장 저렴한 맥주인 필라이트를 선택하였고, 필라이트 맥주 입장에서 다른 맥주 대신 기택이 가족의 선택을 받은 차별화 방법은 바로 가격 차별화이다.

[그림10] 영화 기생충의 한 장면[4]

두 번째 음주 장면은 기택이 가족 전원이 영화 속 박사장(故 이선균분) 집에 모두 취업을 하게 된다. 살림살이가 넉넉해진 기택이 가족의 맥주 종류가 바뀐다. 바로 수입 맥주인 삿포로 맥주로 말이다. 삿포로 맥주는 다른 맥주보다 가격은 비싸지만 품질이 좋고 맛이 좋다는 평가가 있다. 삿포로 맥주 입장에서 기택이 가족의 선택을 받기 위한 차별화 방법은 "제품 차별화"이다.

---

4) YTN 뉴스, 2020년 2월 11일, https://www.youtube.com/watch?v=ZV2k9E3Pcwc

세 번째 음주 장면은 박사장 가족 모두 억수같이 쏟아지는 빗속에 휴가를 떠난 후 박사장 집 거실에서 양주를 마시는 장면이 등장한다. 고급 양주로 말이다. 만일 기택이 가족 중 술을 마시지 못하는 가족이 있다면 이들을 위한 맥주도 있다. 바로 무알코올 맥주이다. 무알코올 맥주의 경우 전형적인 "고객 차별화"이다.

스타벅스와 커피빈이 고급원두를 사용하여 커피맛을 좋게 하는 "제품 차별화"을 차별화의 방법으로 선택 하였다면, 빽다방이나 컴포즈 커피의 경우에는 저렴한 원두를 사용하더라도 낮은 가격으로 커피를 판매하는 "가격 차별화"를 차별화 방법으로 선택하였다.

부동산 전문가들은 말한다. 성공적인 부동산 투자를 위해서, 세 가지만 명심하면 된다고, 첫 번째가 입지, 두 번째도 입지, 세 번째도 입지라고 말이다. 성공한 경영자들은 이렇게 말한다. 성공적인 기업 운영을 위해서 세 가지만 명심하면 된다고 말이다. 바로 차별화, 차별화, 차별화라고 말이다. 다시 말하자면 제품 차별화, 가격 차별화, 고객 차별화를 실천하는 것이다.

장사와 경영의 차이점은 체계의 유무이고, 세 가지 체계(사람, 돈, 시설) 중 가장 중요한 시작은 사람에 대한 체계이고, 여기서 사람은 고객, 경쟁자, 직원이라는 사람이 존재하는데, 본 장에서는 이 중 경쟁자에 대한 체계에 대하여 살펴보았다. 바로 경쟁자와의 차별화 방법을 결정하는 것이다.

한마디 : 차별화! 차별화!! 차별화!!!

제11장 직원 만족이 고객 만족

기업들이 고객 만족을 위하여 노력하는 것은 당연하다. 그러나 진정한 의미의 지속 가능한 고객 만족을 달성하기 위해 선행되어야 할 부분에 대해 많은 기업이 소홀히 하고 있다. 예를 들어 보자. 백화점은 보통 10시에 개장한다. 고객들은 10시부터 백화점에 입장하게 되고, 직원들은 9시 전에 출근하여 고객맞이할 준비인 자체적인 조회 형태의 회의를 하기도 한다.

어느 날 아침, 9시 조회 시간에 백화점 점장이 '고객은 왕이다'라며 큰 소리로 직원들을 꾸짖다. 막무가내로 어처구니없는 요구를 하는 고객에게 무릎을 꿇으라고 소리를 질렀다. 부서 이동이나 심지어 해고와 같은 인사상의 불이익을 당하지 않기 위하여 백화점 직원은 어쩔 수 없이 백화점 점장이 원하는 요구사항을 따를 수밖에 없을 것이다.

이 사건 이후, 해당 직원은 어쩔 수 없이 웃을 수는 있지만 그 웃음은 결코 자연스러울 수 없다. 진정한 의미의 고객 만족이 이루어지기 위하여 선행되어야 할 것은 무엇인가? 바로 우리 회사 내부에 있는 또 다른 고객이 먼저 만족하여야 한다. 우리 회사 내부에 있는 또 다른 고객은 누구인가? 바로 직원이다. 직원이 먼저 만족하여야 외부에 있는 고객이 만족한다. **진정한 의미의 고객 만족의 시작은 내부고객인 직원을 만족시키는 것이다.**

[그림11] 드라마 시간의 특정 장면[5]

2014년 개봉된 영화 〈카트〉는 2007년 이랜드의 홈에버 대량 해고 사태와 이에 따른 노동자 파업 사건을 배경으로 하고 있다. 당시 이랜드 그룹은 홈에버의 비정규직 계산원을 포함한 계열사 노동자들에 대해 계약기간이 만료되기도 전에, 외주용역으로의 전환을 목적으로 일방적인 해고를 통보한다.

5) MBC 홈페이지 발췌

[그림12] 영화 카트 스틸샷[6]

이러한 배경으로 만들어진 영화 카트 속에서 계산원들이 고객을 만족시키라는 정직원 상사의 말에 고객 앞에서 무릎을 꿇는 장면이 등장하고, 해고 통보가 문자 메시지로 이루어지는 모습이 등장한다. 고객을 만족시킨다는 명분으로 계산원들을 쥐어짜는 전형적인 모습이 나타난다.

아래의 내용은 2023년 12월 7일자 이데일리 신문

6) 영화 카트 홈페이지 발췌

기사[7]의 내용이다.

"2018년 11월 7일. 회사 직원을 폭행하고 각종 엽기적인 갑질 행각으로 물의를 빚은 양진호 전 한국미래기술 회장이 성남시 분당구에 위치한 한 임시 거처에서 긴급 체포됐다. 양씨가 퇴사한 전 직원을 사무실에서 무차별 폭행하는 영상이 뉴스타파를 통해 공개된 지 8일 만이었다. 양씨는 웹하드업체 위디스크와 파일노리를 운영하며 막대한 부를 쌓았던 자수성가형 IT 사업가였지만, 그 실체는 끔찍한 악행으로 점철돼 있었다. 앞서 공개된 폭행 영상 속 양씨는 전 직원에 욕설을 하며 있는 힘껏 따귀를 올려붙이는 모습으로 많은 사람들에 충격을 줬다. 폭행의 이유는 해당 직원이 위디스크 게시판에 양씨를 비판하는 댓글 5개를 남겼다는 것이었다.

양씨에 대한 혐의는 폭행뿐만이 아니었다. 경찰 조사가 진행되며 양씨에 전 여자친구 특수강간, 직원 상습 폭행, 엽기적 수준의 갑질, 아내 지인 감금 및 집단폭행, 직원 휴대전화 해킹, 배임횡령 등 각종 혐의가 쏟아져나왔다. 그가 운영하던 웹하드업체가 일명 '리벤지 포르노'의 확산 거점이었고, 피해자들의 삭제 요청에도 아랑곳하지 않고 영상을 올렸다는 증언도 나왔다.

직원을 향한 갑질은 엽기적인 수준이었다. 자신의 마음에

---

7) https://www.edaily.co.kr/news/read?newsId=01088966635803424&mediaCodeNo=257&OutLnkChk=Y

들지 않는다며 직원에 정체불명의 알약을 먹게 하거나, 술 안주라며 생마늘을 한 움큼 먹이기도 했다. 캡사이신이 함유된 핫소스를 강제로 먹게 하고, 갑자기 회사 임원들을 불러 미용실에서 강제로 머리를 염색하게 했다. 드라마 '모범택시'에서 다룬 갑질 회장편에서는 악한 기업 회장이 빨간색, 노란색, 초록색으로 염색한 직원들을 데리고 다니는 장면이 등장하는데, 바로 양씨의 사건을 모티브로 한 것이었다."

고객 만족은 필수적이다. 그러나 이러한 만족이 지속 가능하고 진정한 의미에서의 고객 만족이 되려면, 내부 고객인 직원들의 만족이 우선적으로 보장되어야 한다.

그렇다면, 직원이 만족하는 순간은 언제인가? 높은 연봉, 승진, 고용보장, 훌륭한 복지 모두 중요하지만, 가장 중요한 것은 따로 있다. 바로 회사에서 말하는 가치와 직원 자신이 생각하는 가치가 일치하였을 때, 가장 적은 월급, 야근, 고객의 갑질, 상사의 갑질에도 불구하고 가장 몰두하고, 가장 높은 생산성을 기록하고, 가장 만족한다.

[그림13] 고객 만족

어떤 기업이 좋은 기업인지 아닌지 판단할 수 있는 기준은 연봉, 거리, 복지, 워라밸등 여러 가지 요소가 있을 수 있다. 그런데 이와 같은 부분은 해당 기업에서 업무를 하게 될 동기요소 중 하나일 뿐 어떤 것도 절대적이지 않다. 스타트업의 경우 연봉이 높지는 않지만, 소위 대박을 가져다줄 수 있는 성장의 요인 때문에 좋은 기업일 수 있고, 집에서 거리가 멀어 출퇴근이 불편하더라도 같이 일하는 사람이 좋다는 요인 때문에 좋은 기업일 수 있고, 9시 출근 23시퇴근에 "월화수목금금금"이어도 자신이 성장할 기회를 제공하는 기업이라면 또 좋은 기업일 수 있다. 그런데 좋지 못한, 절대적으로 나쁜 기업이라고 할 수 있는 기업이 있다. 그것은 기업의 고위직이나 핵심 인력에 무능한 사람들이 존재하는 기업이다. 그와 같은 기업들은 핵심 인재가 되기 위하여 직원의 역량을 발전시키는 것이 아니라 사내 정치를 잘하고 특정 집단, 특정 라인을 잘 타는 것이 어떤 업무능력보다 중요한 기업이다. 좋은 기업의 기준에는 여러 가지가 있고, 사람마다 주관적이지만, 나쁜 기업을 판단하는 우선순위는 승진하는 사람이 자신의 업무역량이 아닌 다른 것이 우선시 될 때이다. 이와 같은 기업은 피해야 된다.

한마디 : 고객 만족의 시작은 직원 만족부터

제12장 고객에 대한 체계

본 12장에서부터 우리가 기업에서 상대하여야 하는 세 명의 사람인 고객이라는 사람, 경쟁자라는 사람, 직원이라는 사람에 대한 체계에 대하여 각각 알아보자. 먼저 고객에 대한 체계부터 시작한다.

스타벅스나 커피빈과 같은 커피 전문점에는 여성 손님이 더 많을까, 남성 손님이 더 많을까? 상대적으로 남자 손님 보다 여자 손님이 많아 보인다. 그렇다면, 커피 전문점에서는 남성 손님이 더 많은 돈을 소비할까? 여자 손님이 돈을 더 많이 소비할까? 어느 카드회사의 매출전표에 따르면 여자 손님보다 남자 손님 이 더 돈을 많이 쓴 것으로 나타났다. 이것을 어떻게 해석하여야 할까? 이는 남성 손님이 여성 손님의 커피 값을 지불해주는 상황으로 볼 수 있을까?

일반적으로 고객과 소비자는 같은 의미로 혼돈되어 사용되지만, 경영학에서는 이를 구분하여 사용한다. 커피라는 특정 제품을 마시기 위하여 비용을 지불하는 사람을 고객으로 한다면, 지불된 대가로 획득된 제품이나 서비스를 사용하는 사람을 소비자로 볼 수 있다. 일반적으로 이와 같은 고객(지불자)과 소비자(사용자)가 커피전문점의 경우처럼 다른 경우도 있지만, 같은 경우도 있다. 저녁식사를 혼밥족이 인근 편의점에서 편의점 도시락을 자신의 돈으로 구매하여 자신이 먹어준다면 고객과 소비자는 동일한 존재이다. 고객에 대한 체계를 구축하는 첫 번째 단계는 지불하는 사람과 제품이나 서비스를 사용하는 사람이 같은지 여부를 파악하는 것이다. 고객과 소비자 이외에 영향을 미치는 존재가 별도로 존재할 수도 있다. 예를 들어, 자동차를 새로 구입하게 될 때, 자동차의 지불자는 아버지가 되고, 자동차를 타는 사용자인 소비자는 가족 모두가 되고, 자동차의 선호하는 색깔을 결정짓는 것은 어머니라면, 어머니는 영향을 미치는 존재가 된다.

만수르를 아는가? 중동지역의 최고 부자로 우리들은 알고 있을 것이다. 만수르가 거주하는 중동지역은 석유 생산으로 인해 여러 부국이 위치해 있으며, 대다수 국민들이 부유하다. 우리나라 엘지전자가 중동지역의 부자들을 위한 전용 냉장고를 수출하고자 하였고, 최고의 명품 냉장고를 만들어 높은 가격을 책정하여 수출하였는데 이상하게 판매가 신통치 않았다. 명품 럭셔리 냉장고 대신 기본기능만 갖춘 평범한 냉장고가 더 많이 팔리고 있음을 발견하게 되었다. 왜 그럴까?

[그림14] 중동부자의 냉장고 구입

중동에는 하인 문화가 있다. 중동 부자들은 주방 일을 자신이 담당하지 않고 이와 같은 하인들이 담당하도록 하는데, 주방의 필수품인 냉장고는 주인이 다루는 물건이 아니기 때문에, 좋은 제품이 필요 없는 것이다. 즉 명품 냉장고의 고객(지불자)과 소비자(사용자)가 다르므로 나타난 현상이다.

고객에 대한 체계의 두 번째는 다시 한번 강조하는데, "표 받는 곳"이 아닌 "표 내는 곳"에 대한 고객

중심의 마인드이다. 2000년대 후반 국내 모기업이 65세 이상의 어르신들이 손쉽게 사용하실 수 있도록, 휴대전화의 액정화면을 크게 하고, 키패드도 크게 하고, 대신 65세 이상의 어르신들이 거의 사용하지 않는 기능이었던 MP3, 카메라, DMB등의 기능은 제외하고, 유일하게 사용빈도가 높던 FM 라디오 기능만을 남겨둔 "실버폰"을 출시하였는데, 주된 사용자로 목표를 정한 65세 이상의 어르신들이 외면하였다. 폰 자체의 성능을 최고였지만, 어르신들이 외면한 이유는 나중에 밝혀진다. 바로 "실버폰"이라는 네이밍(이름)때문이었다. 65세 이상의 어르신들이 폰의 모든 부분이 마음에 들지만, 처음부터 이름이 꺼린다는 것을 파악한 국내 모 전자 회사에서는 해당 이름을 "CEO폰", "와인폰", "효도폰"으로 재명명하여 판매하기 시작하였다. 그때부터 어르신들의 마음이 열리기 시작하였다.

필자가 10여 년 전에 전라남도 순천시를 처음으로 방문할 기회를 가지었다. 목적은 순천시청 소속 공무원 대상 특강을 하게 되었기 때문이다. 순천시를 방문하기 전에 필자가 근무하는 경인여자대학교 경영학과 학생들에게 "내가 이번에 순천을 가게 되었는데, 순천 하면 생각나는 것이 무엇이 있을까?"라고 질문하였더니, 어떤 학생은 닭갈비와 막국수가 생각난다고 하였고, 또 어떤 학생은 남이섬과 소양강 처녀가 생각난다고 하였고, 어떤 학생은 고추장을 꼭 사 오라고 내게 당부하였다. 이 이야기를 듣고 순천 시청 공무원들에게 특강 도중 그대로 말씀드렸는데, 공무원들이 자존심 상하며 듣던 기억이 난다.

[그림15] 전남 순천만

순천시청 공무원들은 순천 하면 대한민국 사람 누구나 생각나는 것이 세 가지가 있다고 믿고 있었다. 첫째는 순천 자연만, 두 번째는 대한민국 최고 명문고 순천고, 마지막으로 조계산이라고 하였다. 순천시청 공무원들이 생각하는 순천과 수도권 거주 여대생들이 생각하는 순천은 너무 달랐다. 닭갈비, 막국수, 남이섬, 소양강 처녀는 "순천"이 아니라 "춘천"이고, 유명한 고추장은 "순천"이 아니라 "순창"이다. 내가 생각하는 나와 다른 사람이 생각하는 나 사이에 간격(Gap)이 존재함을 인정하고, 이러한 인식의 차이를 좁히기 위해 노력하는 것은 고객에 대한 체계를 만드는 세 번째 중요한 점이다.

전술하였듯이 고객에 대한 이와 같은 체계를 전문적으로 다루는 경영학의 분야가 중 하나가 마케팅이다. 정리하여 보자. 경영학은 사람과 돈과 시설에 대한 체계이고, 이 중에 제일 중요한 것은 사람이고, 기업에서 핵심적으로 관리하는 사람은 고객, 경쟁자, 직원이고, 이 중에 고객에 대한 체계는 모든 일의 주어가 고객이고, 내가 생각하는 나와 상대방이 생각하는 나 사이에 간격을 좁히기 위한 활동을 수행하는 것이다.

한마디 : 고객에 대한 체계를 만들자.

제13장 경쟁자에 대한 체계

경쟁자는 없어서는 안 될뿐더러, 시장 형성 및 유지, 혁신 기회 제공, 협상력 강화 등의 이유로 반드시 필요하다고 전술하였다. 또한, 이와 같은 경쟁자에 대하여 하여야 할 일을 세 가지 차별화인 "제품 차별화", "가격 차별화", "고객 차별화"로 나타내었다. 그러나 이 모든 것에 앞서, 기업의 경쟁자를 어떻게 정의할 수 있을까?

[그림16] 경쟁자 정의[8]

위 그림을 살펴보면 여러 기업의 넥타이맨들이 서로 주먹을 휘두르며 싸우고 있다. 가운데를 보면 애플과 인텔이 서로 싸우고 있다. 원래 애플은 인텔의 비메모리 반도체의 주요 고객 중 하나였으며, 양사 관계는 매우 좋았다. 그러나, 애플이 자체적으로 반도체를 생산하겠다고 선언한 다음부터 애플과 인텔은 서로 경쟁자가 되어 싸우게 된다. 이것은 그럴 수 있다고 이해가 된다.

---

8) 조선일보 2021년 10월 6일자 기사 발췌

하지만 [그림 16]의 맨 왼쪽에서는 의외로 스타벅스와 은행이 경쟁관계에 있는 것을 볼 수 있다. 소와 닭의 관계처럼 아무 상관없어 보이는 스타벅스와 은행이 왜 경쟁관계가 될까? 이유가 있다.

스타벅스 음료 가격 인상 안내

스타벅스가 오는 **1월 13일(목)부터** 음료 가격을 인상합니다. 스타벅스는 특별한 경험을 고객님들께 지속적으로 제공해 드릴 수 있도록, 각종 운영 비용과 경제 지표 등 다양한 요소를 종합적으로 검토해 가격 정책에 반영해 오고 있습니다. 스타벅스는 지난 2014년 가격 인상 이후 현재까지 매장 운영 효율화 및 직간접적인 비용 절감 등을 통해 가격 인상요인들을 내부적으로 흡수하며 가격 동결을 유지해 온 바 있었습니다.

그러나 최근 급등한 원두 가격을 포함해 지속 상승 중인 각종 원부재료와 코로나19로 인한 국제 물류비 상승 등 각종 비용의 가격 압박 요인이 지속 누적됨에 따라 7년 6개월만에 부득이하게 음료 가격을 인상하게 되었습니다. 가격 조정을 통해 53종의 음료 중 46종의 음료가 인상될 예정으로, 카페 아메리카노와, 카페 라떼, 카푸치노 등 음료 23종은 400원, 카라멜 마키아또, 스타벅스 돌체 라떼, 스타벅스 더블 샷 등의 음료 15 종은 300원, 프라푸치노 일부 등 7종의 음료는 200원, 돌체 블랙 밀크 티 1종은 100원이 각각 인상되게 됩니다.

향후 고객의 가격 부담 경감을 위한 다양한 혜택 강화 프로그램 등 역시 곧 개발해 운영할 예정이며, 추가 혜택 관련 상세한 사항은 조만간 다시 한번 안내 드리도록 하겠습니다.

금번 가격 인상에 대한 고객 여러분의 깊은 이해 부탁드리며, 향후에도 저희 스타벅스 임직원들은 효율적인 운영을 통해 스타벅스의 특별한 경험과 가치를 지속적으로 제공할 수 있도록 최선을 다하겠습니다. 감사합니다.

[그림17] 스타벅스 가격 인상[9]

지난 2021년 1월 스타벅스는 [그림 17]처럼 커피

9) 스타벅스 홈페이지 발췌 www.starbucks.co.kr

제품 가격을 인상하였다. 필자가 가장 좋아하는 아메리카노 톨 사이즈 가격은 기존 4,100원에서 4,500원으로 인상된 것이다. 필자는 인상된다는 뉴스를 접하자마자 제일 먼저, 인상되기 전의 가격으로 스타벅스 커피를 먹을 수 있는 기프트 카드를 10만원어치 구입하였다. 이와 같은 생각을 한 사람은 필자만 아니라 우리나라에만 수십만, 전 세계적으로 수천만 명이 있을 수 있고, 이들 모두가 기프트카드를 구입하였다는 것은 수천억, 아니 수조 원에 달하는 현금을 스타벅스 측이 가지게 된 것이다. 스타벅스는 이 막대한 현금을 가지고 무엇을 할 수 있을까? 바로 금융업에 진출할 수 있다. 스타벅스 앱을 사용하는 수천만 명의 회원들의 데이터베이스를 기반으로 막대한 현금을 가지고 스타벅스 뱅킹앱이 탄생한다면 그 파괴력은 어마어마할 것으로 여겨진다. 기존 금융기관 입장에서는 매우 의식되는 잠재적 경쟁자임은 틀림없다. 그래서 은행과 스타벅스가 주먹을 서로 휘두르고 있다.

이와 같이 경쟁자는 같은 업종에서만 발생하는 것

이 아니라 예상치 못한 다른 업종에서도 등장할 수 있다.

[그림18] 코카콜라와 펩시콜라

코카콜라의 경쟁자는 누구인가? 당연히 펩시콜라를 말할 것이다. 그런데 코카콜라의 경쟁자를 콜라가 속한 탄산음료라는 카테고리(범주)로 확장한다면 코카콜라의 경쟁자는 세븐업, 환타, 칠성사이다, 오란씨가 될 수 있다. 동일 제품이 아닌 카테고리(범주) 차원에서 코카콜라의 경쟁자는 펩시 이외에 세븐업, 환타이다.

[그림19] 카테고리 차원에서의 콜라 경쟁자

고객들은 왜 콜라를 마실까? 큰 이유 중 하나는 갈증 해소라는 가치를 제공하기 때문이다. 그런데 갈증 해소라는 가치를 제공하는 다른 제품에는 콜라나 탄산음료 이외에 베스킨 라빈스 아이스크림도 될 수 있고, 어떤 사람은 아아(아이스 커피)라고 말하기도 한다. 갈증 해소라는 가치제공차원에서 코카콜라의 경쟁자는 완전히 다른 영역에서 출현하게 된다.

[그림20] 가치 차원에서의 콜라 경쟁자

우리 기업의 경쟁자를 누구로 정의할지 명확히 한 뒤, 그에 따라 차별화 전략을 수립해야 한다. **경쟁자를 정의하는 방법은 위와 같이 세 가지이다. 첫 번째, 동일 제품 차원, 두 번째, 카테고리(범주) 차원, 세 번째 가치 차원이다.**

이와 같이 경쟁자에 대한 정의 이후 기업은 무엇을 할 수 있을까? 바로 차별화 방법을 결정하여야 한다. 차별화 방법의 세 가지인 제품, 가격, 고객 중 어느 것을 선택할 것인지 결정하는 것이다. 이에 대해서는 본서의 다른 장에서 제시하였다.

한마디 : 경쟁자에 대한 체계를 만들자.

제14장 직원에 대한 체계

고객에 대한 체계의 출발점은 모든 것의 주어가 고객이 되어야 한다고 제시하였고, 경쟁자에 대한 체계의 출발점은 경쟁자를 세 가지 차원에서 정의하고 세 가지 차별화 방법 중 한 가지 이상을 선택하는 것이라고 언급하였다. 그렇다면, 직원에 대한 체계는 어떻게 만들어지는가?

직원에 대한 체계의 가장 중요한 본질은 지속 가능

하고 진정한 의미의 고객 만족은 내부에 있는 또 다른 고객인 직원들을 만족시키는 것이다. 직원 만족의 가장 중요한 부분은 무엇일까? 바로 가치의 공유와 가치의 일치이다. 기업에서 가치 일치, 가치 공유, 그리고 가치 합일을 이루기 위한 가장 중요한 요소는 무엇일까? 그것은 다음과 같은 두가지이다.

첫 번째, 인사의 공정함과 투명함이다.

미국 대법원에서는 다음과 같은 글귀를 볼 수 있다.

"모든 사람은 차별받아야 한다. 일 잘하는 사람이 더 많은 임금을 받고 공부 잘 하는 사람이 더 좋은 학교에 가야 한다. 그래야 모두가 일도 더 잘하려고 노력하고 공부도 더 잘하려고 노력한다. 그러나 노력으로 바꿀 수 없는 것을 가지고 차별해서는 안 된다. 흑인은 아무리 노력해도 백인이 될 수 없고, 여자는 남자가 될 수 없으며, 노인은 젊은이가 될 수 없다. 미국 헌법은 이런 차별을 용인하지 않는다."

기업에서 직원들을 대할 때 공평하게 대하면 안 되고 차별해야 한다. 여기서 차별의 기준은 무엇이어야 하는가? 만일 기업의 대표가 특정 직원이 자신과 같은 고향이라고, 같은 대학을 나왔다고 더 우대하거나 먼저 승진시키면 그러하지 못한 직원은 처음에는 좌절하고 낙담하다가 나중에는 분노하고 체념하게 된다. 자신이 아무리 노력해도 바뀌지 않는 것을 가지고 차별 당할 때 흔히 벌어지는 일이다. 기업에서 아무리 듣기 좋은 가치를 이야기해도 "너는 떠들어라. 나는 갈련다."라는 태도를 보이며 소위 면종복배(面從腹背)하게 된다. 직원 만족의 첫 번째 원칙은, 직원이 아무리 노력해도 바꿀 수 없는 개인의 배경, 예를 들어 출신학교, 성별, 출신지역 등에 따라 차별을 하지 않는 것이다. 노력하면 바꿀 수 있는 것 예를 들자면, 업무성과로 차별해야 한다. 직원 만족 의 첫 번째는 바로 인사를 공정하고 투명하게 만드는 것에서 시작 된다.

두 번째는 회계의 공정함과 투명함이다.

직원들을 만족시키기 위해서는 기업에서 회계를 투명하게 하는 것이 매우 중요하다. 이유는 다음과 같다.

첫째로, 회계의 투명성은 직원들에게 기업의 안정성과 신뢰를 제공한다. 직원들은 자신들이 일하는 기업이 재무적으로 건강하고 안정적인지를 알고 싶어 한다. 회계가 투명하지 않으면 직원들은 회사의 상황을 제대로 이해하지 못하고 불안해할 수 있다. 하지만 투명한 회계는 직원들에게 회사의 재무 상태를 이해할 수 있는 기회를 제공하며, 안정감과 신뢰를 준다. 그렇기 때문에 직원들이 회사에 충실하고 더 나은 결과를 위해 노력할 수 있다.

둘째로, 회계의 투명성은 보상과 혜택을 관리하는 데 도움을 준다. 직원들은 자신들의 노력과 기여에 대한 공정한 대우를 기대한다. 투명한 회계는 기업이 보상과 혜택을 공정하게 관리하고 있다는 것을 보여준다. 이는 직원들에게 공정성과 정의감을 느끼게 하며, 기업에 대한 더 높은 충성도를 유도한다.

셋째로, 회계의 투명성은 직원들의 책임감을 높일 수 있다. 직원들은 회사의 성과에 기여할 때 자신들의 역할과 중요성을 인식하고 싶어 한다. 투명한 회계는 회사의 성과와 목표를 이해하고 직원들이 자신의 역할이 회사의 성공에 어떻게 연결되는지를 알게 한다. 이는 직원들이 더 나은 결과를 얻기 위해 노력하고 팀원들과 협력하는 데 도움이 된다.

넷째로, 회계의 투명성은 직원들의 신뢰를 구축하는 데 중요하다. 직원들은 회사의 리더십과 관리층에 대한 신뢰를 갖고 싶어 한다. 투명한 회계는 회사의 경영진이 솔직하고 정직하게 일하고 있다는 것을 보여준다. 이는 직원들이 회사의 비전과 목표를 공유하고 리더십에 따르는 데 도움을 준다.

정리하면, 회계의 투명성은 직원들을 만족시키기 위해 중요한 요소이다. 투명한 회계는 직원들에게 안정성과 신뢰를 제공하며, 보상과 혜택을 공정하게 관리하고, 책임감을 높이고, 신뢰를 구축하는 데 도움이 된다. 따라서 기업은 회계를 투명하게 유지하여 직원들의 만족도를 높이고 생산성을 향상하는 데 기여할 수 있다.

직원도 살고 우리 기업도 살기 위해서는 다른 것은 둘째 치고 두 가지는 투명하여야 한다. 바로 인사와 회계, 사람과 돈에 관한 부분은 절대적으로 공정하고 투명하여야 한다.

한마디 : 인사와 회계를 투명하게 !!!.

제15장 경영의 세 가지 체계

전장에서는 고객, 경쟁자, 직원에 대한 각각의 체계를 설명하다. 이를 다음의 [그림21[과 같이 종합적으로 제시할 수 있다. 바로 경영의 체계는 사람, 돈, 시설에 관한 부분을 포함하고, 그 중 첫 번째인 사람에 관한 체계는 고객, 경쟁자, 직원에 대한 체계를 포함한다.

체계란 일정한 규칙과 질서에 따라 조직화한 시스템이며, 이는 다양한 영역에서 적용된다. 체계를 갖추면 예측 가능성, 효율성, 효과성, 그리고 성장을 촉진할 수 있다.

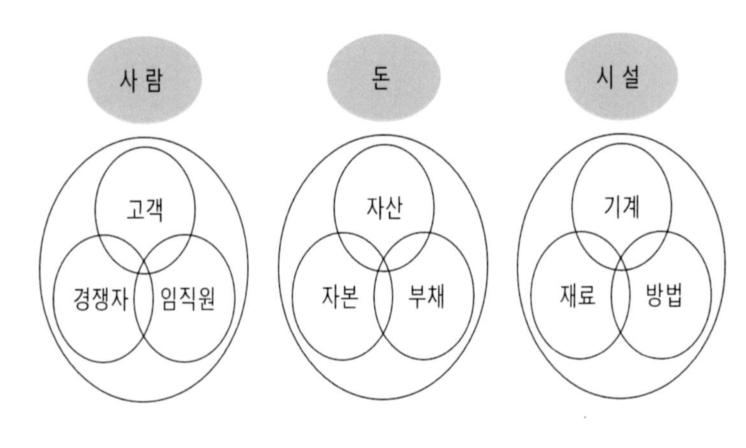

[그림21] 경영의 세 가지 체계

첫째, 예측 가능성 제공

체계는 예측 가능성을 제공한다. 예측 가능성은 미래를 예상하고 준비할 수 있게 지원한다. 기업에서는 체계적인 계획과 프로세스를 통해 시장 동향을 파악하고 경영 전략을 개발할 수 있다. 학교에서는 학생들이 무엇을 배워야 하고 어떻게 평가받아야 하는지에 대한 체계가 잘 구축되어야 효과적인 교육이 가능하다.

둘째, 효율성 촉진

체계는 효율성을 촉진한다. 체계가 없는 상황에서는 기업에서 업무를 수행하는 데 필요한 시간과 에너지가 낭비될 수 있다. 하지만 체계가 갖춰진 환경에서는 업무 순서와 절차가 명확하게 정의되어 있어, 업무 수행이 더욱 효율적으로 이루어진다. 이는 비즈니스 프로세스의 최적화, 생산성의 향상, 그리고 자원의 효율적인 활용으로 연결된다.

세 번째, 효과성 증진

체계는 효과성을 증진한다. 효과성은 목표를 달성하는 능력을 의미하는데, 체계는 목표를 설정하고 그 목표를 달성하기 위한 계획을 수립하는 데 도움을 준다. 목표를 달성하기 위해서는 시간, 자원, 그리고 노력을 효과적으로 조절하고 관리해야 하고, 체계를 통해 목표를 분명하게 설정하고 필요한 단계를 수립함으로써 효과적으로 목표를 이룰 수 있다.

네 번째, 성장 촉진

체계는 기업 성장을 촉진한다. 체계는 기업에서 개선과 혁신의 원동력이 된다. 체계가 갖춰진 환경에서는 기업에서 과거의 경험을 토대로 지식을 축적하고, 이를 바탕으로 현재 상황을 개선하고 미래를 대비할 수 있다. 또한, 체계는 새로운 아이디어와 창의성을 발전시키는데 도움이 되는데, 새로운 아이디어를 도입하고 실험하는 과정에서 성장과 발전이 이루어진다.

다섯 번째, 안정성과 신뢰성 제공

체계는 안정성과 신뢰성을 제공한다. 안정성은 기업이 예상하지 않은 상황에 대비할 수 있는 능력을 의미하며, 신뢰성은 시스템이 일관되고 신뢰할 수 있는 결과를 산출할 수 있는 능력을 의미한다. 체계가 갖춰진 환경에서는 안정성과 신뢰성이 높아지며, 이는 조직이나 개인이 안전하고 확실한 기반 위에 성장할 수 있도록 한다.

여섯 번째, 협업과 의사소통 강화

체계는 협업과 의사소통을 강화한다. 체계는 공동의 목표를 이루기 위한 팀의 노력을 조직화하고 조정할 수 있다. 체계가 확립되면 기업 구성원들은 자신의 역할과 책임을 명확히 이해하고 협력하여 작업을 수행할 수 있다. 체계는 의사소통의 투명성을 높이고 의사결정 과정을 투명하게 만들어 팀 내외의 이해관계자들이 협업에 참여할 수 있도록 한다.

위와 같은, 여섯 가지 측면에서 체계는 예측 가능성, 효율성, 효과성, 성장, 안정성, 신뢰성, 그리고 협업과 의사소통을 강화하여 기업의 다양한 영역에서 중요하게 수행한다. 기업의 구성원들은 이와 같은 체계의 중요성을 이해하고 그것을 구축하고 유지하는 노력을 수행하여야 한다.

한마디 : 체계가 있으면 예측할 수 있다.

제16장 체계와 가치

경영학의 본질은 지속적인 수익 창출이며, 이를 위해 필요한 것은 사람(Man), 돈(Money), 시설(Machine)에 관한 체계인 것이다. 첫 번째 사람에 대한 체계로서, 고객에게 제품과 서비스의 형태로 가치를 만들어 제공하고 수익이라는 반대급부를 얻어야 하고, 이와 같은 가치를 제공할 수 있는 다른 경쟁자와는 차별화된 가치를 만들어야 하고, 직원들과 가치가 공유되어야 한다. 이를 다음의 그림과 같이 표현할 수 있다.

첫 번째, 고객에게 가치를 제공하고 수익을 얻자.

기업에서는 고객에게 가치를 제공하고 수익을 얻는 활동을 수행하여야 한다. 이른바 우리 기업과 고객 간의 주고받음의 관계를 만들 수 있어야 한다.

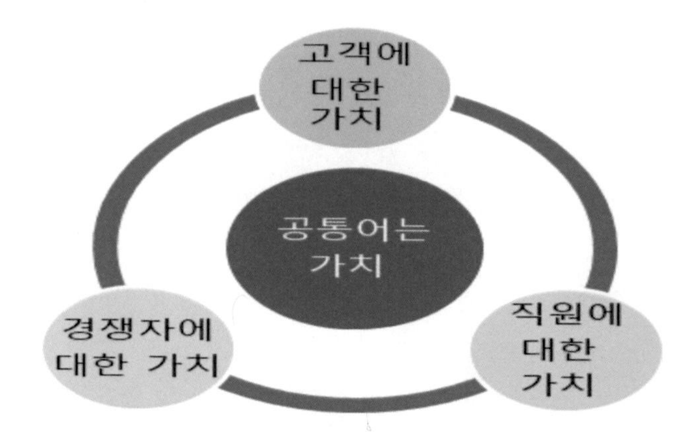

[그림22] 공통어는 가치

두 번째, 경쟁자와 가치를 차별화 하자.

고객에게 가치를 제공하고 수익을 얻고자 하는 기업은 우리 기업뿐만 아니라 다른 많은 경쟁 기업도 존재한다. 이와 같은 경쟁기업과 차별화하기 위해서, 기업은 차별화된 가치를 만들어야 하고, 여기서 차별화의 세 가지 방법은 제품차별화, 가격차별화, 고객차별화가 존재한다.

세 번째, 직원과 가치를 공유하자.

고객 만족을 위한 첫 출발점은 우리 기업 내부에 존재하는 또 다른 고객인 직원 만족에서 시작되고, 직원을 만족시키기 위한 첫 번째 요소는 기업의 가치와 직원의 가치가 일치하는 것이다. 이러한 가치 공유를 위해서는 인사와 회계, 즉 사람과 돈에 관련된 부분이 공정하고 투명해야 한다.

한마디 : 가치를 주고 차별화하고 공유하자.

제17장 너 살고 나 살고

사람은 혼자 살아갈 수 없다. 무인도에서 혼자 살아가던 로빈슨 크루소도 결국 탈출하였고, 영화 캐스트어웨이의 주인공이었던 톰 행크스도 문명사회로 복귀하였다.

사람은 누구나 다른 사람과 함께하여야 한다. 다른 말로 관계를 맺어야 하는데, 이와 같이 관계를 맺는 방식에는 크게 네 가지[10]가 있다.

[그림23] 무인도에서 혼자 살아가는 것

첫째, 너 죽고 나 살고

현대인의 대부분의 인간관계는 '좋은 대학에 가기 위해서', '좋은 직장에 가기 위해서', '더 좋은 곳에서 살기 위해서'와 같은 이유로 너 죽고 나 살고라는 경쟁 방식을 선택한다.

둘째, 너 죽고 나 죽고

부부싸움 할 때, 김정은이 핵으로 우리나라를 협박할

10) 본장의 내용은 윤석철 교수의 저서인 프린시피아 메네지멘타의 내용을 참조하였다.

때가 해당한다. “상대방도 파멸시키고 나도 파멸하겠다.”라는 극단적인 접근방식이다.

[그림24] 너 죽고 나 죽고

셋째, 너 살고 나 죽고

부모의 헌신적인 자식 사랑, 가시고기의 새끼에 대한 보호 행동, 예수 그리스도의 십자가에서의 희생 등이 이 여기에 속한다.

[그림25] 너 살고 나 죽고

넷째, 너 살고 나 살고

상대방도 잘 되고 나도 잘되고 소위 "윈윈(win-win)" 방식이다.

네 가지 상대방과 나와의 관계를 규정짓는 방식을 제시하였는데, 어떤 것이 가장 바람직할까? 두 번째와 세 번째 방식은 너무 극단적이고, 첫 번째 방식은 너무 피곤하지 않은가? 그렇다면 네 번째 방식이 가장 이상적인데, 첫 번째 방식이 아닌 네 번째 방식을 실현하기 위해서 어떻게 하여야 할까?

너 살고 나 살고의 실현

기업에서 너는 기업에 근무하는 사람이라면 항상 대면하여야 되는 세 명의 너를 의미한다.

바로 고객이라는 너, 경쟁자라는 너, 직원이라는 너이다.

고객도 살고 나(우리 기업)도 살기 위해서는 무엇이 필요할까? 고객과 우리 기업 간에 **"주고받음"이** 명확하여야 한다.

경쟁자도 살고 나(우리 기업)도 살기 위해서는 무엇이 필요할까? 경쟁자는 죽여서는 안 되는 존재이고 공존하여야 하고, 그러기 위해서는 전술하였던 경쟁자가 존재하여야 하는 이유 세 가지를 명심하여야 한다.

직원도 살고 나(우리 기업)도 살기 위해서는 무엇이 필요할까? 직원은 쥐어짜는 존재가 아니라 상호협력하고 성장하는 존재임을 명심하고 고객 만족의 첫 번째 출발점은 직원만족 이라는 점을 기억하여야 한다.

한마디 : 너 죽고 나 살고가 아닌 너 살고 나 살고

제18장 주고 받음의 관계

고객도 살고 나(우리 기업)도 살기 위해서는 무엇이 필요할까? 고객과 기업 간에 **주고받음**(Give & Take)이 명확하여야 한다.

주고받음을 실현하기 위해, 무엇을 먼저 줄 것인지, 받은 후 어떻게 행동할 것인지를 세 가지 원칙으로 살펴보자

[그림26] 주고 받음(Give & Take)

첫째. 주는 것이 먼저이다.

둘째, 줄 수 있는 능력이 필요하다.

셋째, 원하는 것을 파악하여 줄 수 있어야 한다.

첫째, 주는 것이 먼저이다.

고객과 나(우리 기업)간의 상호작용의 첫 번째는 먼저 무엇인가를 줄 수 있어야 하는 것이다. 여기서 줄 수 있는 것은 제품이나 서비스의 형태로 가치를 제공할 수 있어야 한다. 라면이라는 제품이라면 라면의 맛, 간편함, 저렴함이라는 가치를 먼저 고객에게 줄 수 있어야 하고, 그럴 때 고객은 자신의 호주머니 속에 있는 재화를 기업에 주게 되고, 만족한 고객은 다음에도 해당 라면을 구입하게 되고(재구매), 더 나아가 해당 브랜드의 라면만을 구매하게 되고(충성고객), 해당 브랜드의 라면의 생산과정에 아이디어를 제공하는 형태로 참여하게 된다. 이를 프로슈머(Prosumer;참여형 소비자)로 나타낼 수 있다.

둘째, 줄 수 있는 능력이 필요하다.

기업은 시장조사, 생산, 연구개발, 마케팅 등을 통해 고객에게 제품이나 서비스 형태로 가치를 제공할 수 있어야 한다. 우리가 좋은 직장에 취업하기를 희망한다면, 좋은 직장이라는 고객에게 우리의 값어치(업무능력 등)를 줄 수 있을 만한 존재가 되기 위하여 초중고 12년, 그리고 대학교 전공을 공부하게 된다. 우리들이 지금 이 수업을 듣는 것은 바로 미래의 나의 고객에게 무엇인가 줄 수 있을만한 존재가 되기 위한 부단한 노력의 과정이다.

셋째, 고객이 원하는 것을 정확히 파악하고 그에 맞는 제품을 제공해야 한다.

기업이 출시하는 신제품 중 손익분기점을 달성하는 것은 종종 1~2개에 불과하므로, 기술개발, 연구개발, 시장조사, 마케팅 등을 통해 고객의 요구를 충족시켜야 한다. 왜 그럴까? 노력을 안 해서일까? 아니다. 고객이 원하는 것을 주지 못해서이다. 애플의 창업자인 스티븐 잡스가 남긴 명언이 있다.

"대다수의 사람들은 원하는 것을 보여주기 전까지 자신이 무엇을 원하는지 모른다(A lot of times, people don't know what they want until you show it to them)."

포드 자동차의 회장인 헨리 포드는 다음과 같은 명언을 남기었다.

"만약 고객에게 무엇을 원하는지 물었다면 그들은 조금 더 빠른 말과 마차라고 답했을 것이라고 말이다. (If you had asked customers what they wanted, they would have said a faster horse and carriage).”

고객은 자신이 원하는 것이 무엇인지 정확히 이야기하지 않는다. 고객은 자신이 원하는 것이 무엇인지 자신도 모른다. 다음의 사례로 살펴보자.

여성 월간지와 승강기

몇 년 전 국내 언론사의 총수는 우연히 접한 우리나라 여성 월간지를 보고 “왜 내용들이 연예인 사생활, 불륜 등의 저급한 내용만 있는가?”라고 안타까움을 보이며 교양, 예술, 문화를 다루는 고품격 여성 월간지를 출간하고자 하였다. 고품격 여성 월간지를 여성 고객에게 주기 위하여 총수와 직원들은 정말 열심히 일하였다. 각고의 노력 끝에 출간된 월간지는 출간 몇 달 만에 극심한 판매고에 시달리다가 결국 폐간되었다. 왜 이런 지경에 이르게 되었는가? 직원들이 일을 게을리 해서가 아니라, 고객들이 진정 원하는 것이 무엇인지 제대로 파악하지 못해서이다. 여성 월간지 고객들은 겉으로는 교양, 예술, 문화로 가득한 월간지를 원한다고 말해도, 실제로 연예인 사생활이 나 누구누구 불륜과 같은 가십성 내용이 없는 여성 월간지는 찾지 않았다.

전 세계 1등 승강기 기업은 어떤 기업일까? 바로 미국의 오티스이다. 오티스에서 수행하였던 유명한 설문조사가 있었다.

고객들에게 지금 승강기를 이용하면서 가장 불편한 것이 무엇인지 물어보니 가장 많은 답변으로 나온 것이 "지금보다 승강기 속도가 빨랐으면 좋겠다."이었다. 오티스가 이 고객들의 불만을 그대로 해석하여 속도가 빠른 승강기를 개발하기 위한 노력을 수행하였다면, 속된 말로 뻘 짓을 할 뻔하였다. 오티스는 고객이 원하는 것이 무엇인지 그대로 해석하지 않고, 재해석하였다. 바로 승강기마다 거울을 부착한 것이다. 거울을 부착한 이후 승강기가 느리다고 불평하던 고객들의 숫자는 급감하기 시작하였다. 오티스 사에서는 비교도 안 되는 저렴한 비용으로 고객들이 원하는 것을 줄 수 있게 된 것이다.

[그림27] 승강기와 거울

과거 국내 베스트셀러 도서 중 "혼자 잘해주고 상처 받지 말자"라는 서적이 있다. 제목 그대로 원하는 것을 파악하여 줄 수 있어야 한다.

[그림28] 혼자 잘해주고 상처받지 마라[11)]

한마디 : 혼자 잘해주고 상처받지 마라

11) 교보문고 홈페이지 발췌
https://ebook-product.kyobobook.co.kr/dig/epd/ebook/E000000003617

제19장 경쟁자는 있어야 한다.

제 10장에서 제시하였던 경쟁자가 필요한 이유 세 가지를 다른 사례와 다른 각도로 다시 살펴보자. “너도 살고 나도 살고”에서 두 번째 너는 바로 경쟁자이다. 아이폰 제조사인 애플은 갤럭시 제조사인 삼성을 경쟁자로 보고, 챗지피티(ChatGPT)를 만든 오픈AI는 하이퍼클로바를 만든 네이버를 경쟁자로 여기며, 불닭볶음면을 만든 삼양식품도 농심을 경쟁기업으로 인식한다. 경쟁자가 없다면 각 기업은 해당 시

장을 전적으로 장악할 수 있을 것이라고 생각할 수 있지만, 실제로는 그렇지 않다. 경쟁자는 있어야 한다. 그것도 반드시 있어야 하는데, 여기에는 세 가지 이유가 있다.

첫 번째, 시장을 형성하고 유지하기 위해서

우리나라에 참치 통조림이 처음 출시된 것은 1982년이었다. 주부들이 즐겨 찾는 슈퍼마켓 매대에 참치캔 통조림이 진열되었지만, 선뜻 주부들의 장바구니 속으로 들어가지 못하였다. 꽁치 통조림이나 고등어 통조림은 익숙하였지만, 갑자기 참치 통조림이라고 하니까, 2020년대를 살고 있는 우리들에게 잉어 통조림이나 붕어 통조림을 구입하라고 하면 주저하듯이 익숙하지 못한 것이었다. 판매가 부진하던 와중 물꼬가 터진 사건들이 일어나기 시작하였다. 바로 경쟁기업인 사조와 오뚜기에서도 참치 통조림을 출시하기 시작한 것이다. 동원참치 입장에서 사조참치와 오뚜기 참치는 경쟁자이지만, 한 기업 브랜드만 고객에 노출될 때보다 세 곳의 기업 브랜드가 고객에게 노출되니 고객에게 더 익숙하게 되었고, 참치 통조림이라는 시장이 형성되는데 경쟁기업들은 꼭 필요한 존재이었던 것이었다.

[그림29] 경쟁자 통한 시장형성과 유지

두 번째, 제품혁신의 출발점이 된다.

1990년대 중반까지 국내 치약 시장의 90%를 점유한 치약은 럭키화학의 럭키치약이었다. 럭키치약의 위치는 독보적이었는데, 부광약품에서 안티프라그 치약을 출시한 이후 경쟁의 양상이 달라지기 시작하였다. 안심하고 있는 럭키에서는 때마침 기업 명칭이

LG생활건강으로 변경되었고, 페리오 치약, 소금 치약, 불소치약 등 다양한 치약을 출시하였고, 애경과 같은 기업에서는 2080 치약을 출시하기도 하였다. 만일 부광약품의 안티프라그 치약이 없었다면 2020년대 우리나라 소비자들은 아직도 하얀색만을 고집하던 럭키치약만을 사용하였는지도 모른다. 부광이라는 경쟁기업으로 인하여 경쟁기업과 경쟁하고 차별화하기 위하여 기존 치약 제품을 혁신시키는 출발점이 된 것이다.

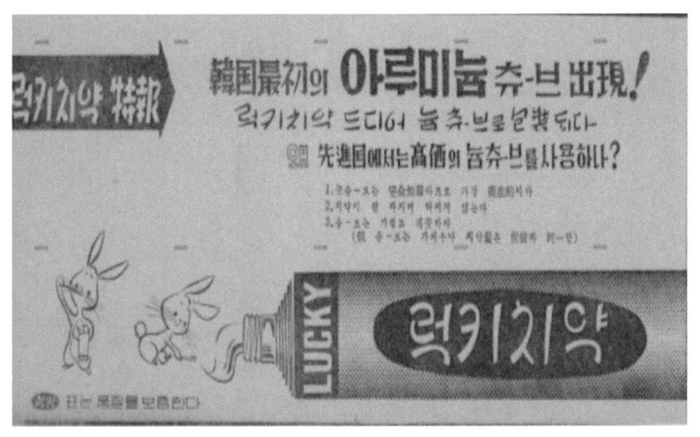

[그림30][12] 1962년 01월 27일 조선일보 럭키치약 광고

12) 브랜드타임즈(Brand Times)(http://www.brandtimes.co.kr)

세 번째, 협상력 강화를 위하여

응답하라 1988이라는 TV 드라마를 보게 되면 서울 도봉구 쌍문동의 주택가에서 아주머니들이 모여 크라운 맥주를 맛있게 마시고 있는 장면이 나온다.

[그림31][13] 응답하라 1988 tvN

1988년대 대한민국 대표 맥주 브랜드는 바로 OB, 크라운 두 기업이었다. 두 기업들이 맥주를 생산할 때 가장 비용이 많이 드는 원료가 홉이라는 것이었

13) https://m.hankookilbo.com/News/Read/201512082025144210

는데, 두 기업은 정부를 대상으로 원가가 많이 드는 홉의 비율을 낮추어도 맥주로 인정하여 달라고 요구하였지만, 정부에서는 이들 기업의 요구를 들어주지 않았다. 그러던 와중 1990년대 들어 새로운 맥주 브랜드가 탄생하였다. 바로 카스 맥주이다. 크라운맥주는 상호를 하이트로 변경하였고, 기존 오비와 하이트(과거 크라운), 그리고 이들의 경쟁기업인 카스까지 가세하여 두 기업이 아닌 세 기업이 홉의 비율을 낮추어도 맥주로 인정해 줄 것을 정부에 요구하였는데, 2개 기업이 아닌 3개 기업의 요구에 정부는 결국 굴복하여 홉의 비율을 낮추어도 맥주로 인정하겠다고 주류법을 변경하게 되었다. 오비와 하이트(과거 크라운) 입장에서 카스는 경쟁자이지만, 경쟁기업 덕분에 대정부 협상력을 강화할 수 있었다.

한마디 : 경쟁자는 있어야 한다.

제20장 가치 부등식을 외우자

전국에 보유한 매장 숫자가 1,500개에 달하고(2024년 2월 기준)에 일일 방문고객이 100만 명이고, 42만 개씩 상품이 1시간마다 팔리고, 매월 600종의 신상품이 나오고, 1,000원짜리 상품이 주력인데 연 매출이 3조나 되는 곳, 25년간 단 한 번도 당기순손실을 낸 적이 없고, 2030이 가장 좋아하는 라이프 스타일숍 1위로 뽑힌 곳은 바로 균일가 생활용품점 다이소이다.

[그림32][14] 천원을 경영하라와 프린스피아 메네지멘타

다이소의 창업자인 박정부 회장은 자신의 저서인 “천원을 경영하라”에서 윤석철 교수의 저서인 “프린시피아 매네지멘타”의 가치 부등식을 누구보다 강조하였다.

---

14) https://product.kyobobook.co.kr/detail/S000200241567

가치 부등식은 다음과 같이 나타낼 수 있다. 가치(V; Value)는 가격(P; Price) 보다 커야하고, 다시 가격(P; Price)은 원가(C; Cost)보다 커야 한다. 이를 부등식으로 표현하면 다음과 같다.

$$V > P > C$$

[그림33] 융프라우 정상에서의 컵라면

예를 가지고 설명하여 보자. 삼양식품의 불닭볶은면이 인기를 얻고 있고, 한때는 팔도의 꼬꼬면이 잘 팔리기도 하였지만, 지난 30여 년간 국내 라면시장의 부동의 1위는 농심 신라면이다. 스위스 융프라우 정상에서 신라면 컵라면으로 판매되고 있는데, 신라면 컵라면 1개 가격이 1만 원을 넘지만 불티나게 팔리고 있다. 그렇다면 우리 주변에서 너무 흔하다고 생각되는 이 신라면 개당 가격은 얼마일까? 2024년 기준 봉지면 1개 가격은 1천 원이다. 1천 원짜리 신라면이 팔리도록 만들기 위해서 농심에서 수행하여야 하는 일은 고객이 1천 원을 지불하였을 때, 자신에게 돌아오는 맛, 저렴함, 간편함과 같은 가치(V)가 1천 원보다 크게 하는 것이다. 농심에서 1천 원짜리 신라면을 판매하여 이윤을 발생하여 직원들 월급도 주고, 공장도 증설하기 위해서 분명히 지켜야 할 부분이 있다. 바로 신라면을 제조하기 위하여 지불하여야 하는 원가(C)는 1천 원보다 작아야 되고 더 구체적으로 작으면 작을수록 더 많은 이윤을 발생시킬 수 있고 직원들 월급과 공장증설과 같은 일을 수행할 수 있다. 여기서 농심이 수행하여야 할 두 번째 업무가 보인다. 바로 원가(C)의 최소화이다.

2023년 8월 기준 국내 중소기업 수[15)]가 771만 개에 달하며 우리나라 전체 기업 중 99.9%가 중소기업인 것으로 나타났다. 중소기업에서 종사하고 있는 근로자 수는 1,849만 명으로 전체 기업 종사자 중 81%가 중소기업에 소속되어 있는 것으로 조사됐다. 2021년 말 기준 국내 중소기업 수는 771만 4,000개로 전년 말보다 5.9% 늘었고, 종사자 수는 1,849만 3,000명으로 3.9% 증가했다. 중소기업 수는 전체 기업의 99.9%, 종사자는 80.9%를 차지했다. 중소기업의 2021년 매출 규모는 317조 1,000억 원으로 전년 대비 12.8% 증가했다. 그러나 여전히 전체 기업 매출액의 대부분은 대기업에 편향되어 있었다. 전체 기업 중 중소기업이 차지하고 있는 비중이 99.9%에 달함에도 전체 기업 매출액 중 중소기업이 차지하는 부분은 46.9%에 불과해 절반에도 미치지 못했다. 기업 매출액의 절반 이상이 0.01% 기업에 쏠려있는 셈이다. 중소기업은 수도권에 401만 8,000개가 있고 비수도권에는 369만 6,000개가 있는 것로 파악됐

---

15) https://www.outsourcing.co.kr/news/articleView.html?idxno=97321

다. 개인 기업이 675만 9,000개, 법인기업이 95만 5,000개였다.

0.1%의 대기업과 99.9%의 중소기업에 근무하는 2,000만 명에 가까운 근로자들이 기업에서 수행하는 수만, 수천, 수백 가지 업무를 요약하고 또 요약하면 두 가지로 분류할 수 있다.

하나는 가치를 높이는 업무이고, 또 하나는 비용절감에 관련된 업무이다. 예를 들어보자. 2023년 기준 전 세계 스마트폰 판매 대수 기준 1위는 삼성전자의 갤럭시이고, 2위는 중국의 샤오미사의 홍미노트, 3위가 미국의 애플사의 아이폰이다. 삼성전자와 애플은 각각 갤럭시와 아이폰의 가치를 높이기 위해 노력했으며, 반면 '대륙의 실수'라는 별명으로 유명한 샤오미는 가성비 높은 제품을 저렴한 원가로 생산하여 경쟁사와 차별화를 시도하고 있다. 자신의 차별화 포인트를 "가치에 둘 것인지? 비용에 둘 것인지?" 가 명확하여야 한다. 이도 저도 아닌 경우는 반드시 실패할 수밖에 없다. 엘지전자는 초콜릿폰과 와인폰으로 한때 휴대폰 시장을 석권했으나, 스마트폰 시장에서 이 명성을 유지하지 못하고, 결국 2021년에 사업을 철수했다. 삼성과 애플이 가치를 높이는 것에 중점을 두었고, 샤오미가 원가를 낮추기 위한 전략에 주력하였다면, 엘지전자는 이도 아니고 저도 아닌 모습을 보인 것이 패인의 원인으로 판단된다.

한마디 : V 〉 P 〉 C

제21장 세 가지 가치

제 20장에서 가치와 가격과 원가의 관계를 $V > P > C$로 나타내었고, 기업이 수행하는 활동 중 두 가지 본질적인 활동으로 가치의 최대화와 원가의 최소화라고 제시하였다.

기업에서 최대화해야 할 가치는 세 가지 종류로 다음과 같이 구분하여 제시할 수 있다.

기능적 가치

첫째, 기능적 가치이다. 이성적 가치로써 논리적인 가치라고도 한다. 예를 들어보자. 우리나라의 대표적인 보일러 회사로는 귀뚜라미와 경동 나비엔이 있다. 귀뚜라미 보일러의 과거 광고문구인 '귀뚜라미 보일러를 설치하면 가스비가 줄어듭니다'는 고객을 논리적으로 설득하고자 하는 이성적 가치의 예이다. 이에 비하여 경동 나비엔 보일러는 자사 제품에 대한 아무 이야기 없이 추운 겨울날 연탄을 가는 시골 노부부의 모습만을 화면을 통하여 비추면서 "여보! 아버님 댁에 보일러 놓아드려야겠어요!"라는 문구만 말한다. 다시 말하자면, 대한민국 사람 누구나 가슴속에 자리 잡은 효(孝)를 자극하는 바로 심리적 가치의 제공이다.

심리적 가치

둘째, 심리적 가치이다. 심리적 가치는 고객을 이성으로 설득하기 보다는 감성적인 부분으로 설득하는 것으로 요약할 수 있는데, 방금, 보일러 회사의 광고카피를 비교하면서 이성적 가치와 감성적 가치의 차이에 대하여 언급하였다.

[그림34] 기능적 가치의 예

. 2023년 상반기 전 세계를 강타한 K드라마 중 하나는 넷플릭스라는 OTT를 통하여 제공된 더 글로리이다. 더 글로리의 여자 주인공인 문동은(송혜교분)과 남자 주인공인 하도영(정성일역)이 편의점에서 만나는 장면이 있다. 삼각김밥을 문동은이 먹다가 하도영에게 건넬 때 "탄수화물이잖아요!"라고 말하며 거부한다. 문동은은 삼각김밥을 자신의 배고픔을 채

워줄 기능적 측면의 가치로만 간주하며 맛있게 먹어주는 장면이 등장하는데, 훗날 하도영이 혼자 편의점을 찾아가 과거 문동은을 생각하며 삼각김밥을 먹게 된다. 이때 삼각김밥이 주는 가치는 단순히 배고픔을 달래주는 기능적 가치이기보다는 심리적 가치를 제공하는 것이다.

[그림35] 심리적 가치의 예

코로나 19가 창궐하던 시기 일본에서 인기 있던

K-드라마 중 최고는 사랑의 불시착이라고 생각된다. 극 중 윤세리(손예진 분)가 리정혁(현빈 분)에게 양복을 선물하는 장면에서 심리적 가치가 강조가 된다. 여러 옷 중 한 벌만 구입하려고 하였는데, 극중에 등장하는 판매점원의 "남편분이 정말 옷이 잘 어울리세요!"라는 멘트에 손예진이 기분이 좋아져 수천만 원어치 양복들을 여러 벌 구입하는 장면이 등장한다. 양복은 단순히 추위를 막아주는 기능적 가치로써의 옷이 아닌 심리적 가치로써 손예진이 바라보게 되는 장면이 등장한다.

[그림36] 심리적 가치의 또 다른 예

사회적 가치

기능적 가치는 이성적 측면을, 심리적 가치는 감성적 측면을, 사회적 가치는 커뮤니티와 환경에 대한 책임감을 반영한다. 커피를 예로 들어보자. 사람들이 커피를 마시는 이유가 무엇일까? 커피 속의 카페인 성분으로 졸음을 막는 것이 가장 큰 목적이라면 해당 고객은 카페인 성분이라는 기능적 가치 측면으로 커피를 바라보는 것이지만, 커피를 마시는 카페의 분위기, 공간적 안락함 때문에 커피를 마신다면 기능적 가치보다 심리적 가치를 더 중요시한다고 볼 수 있다. 그런데, 커피의 가장 중요한 원료인 커피 원두는 누가 재배하는가? 브라질이나 에티오피아의 농부들일 것이다. 커피 한잔이 4,000원에서 5,000원의 가격으로 팔릴 때마다 해당 농부에게는 어느 정도의 이익이 주어질까? 놀랍게도 100원도 안 되는 이익이 주어진다. 7,000원에 판매하여 가격이 비싸지만 커피생산 농부에게 2,000원 정도의 이익을 보장하자는 마인드로 커피를 판매하는 기업이 있다. 비싸더라도 농부들에게 정당한 권리를 돌려주기 때문에 어떤 고객이 해당 커피를 구매한다면, 이 경우 커피가 제공하는 가치는 기능, 심리가 아닌 사회적 가치라고 볼 수 있다.

원두는 농부가 만드는데, 정작 자신에게 돌아오는 이익은 지극히 미비하다. 그래서 커피 한잔을 5,000원이 아닌 스타벅스 커피전문점의 종이 빨대 때문에 스타벅스를 고집하는 고객이 있다면, 스타벅스 커피가 맛있어서도 아니고, 스타벅스 커피전문점의 공간이 안락해서도 아니고, 바로 친환경이라는 사회적 가치 때문에 커피를 구입하게 되는 것이다.

[그림37] 사회적 가치의 예

500원짜리 자판기 커피는 주로 카페인이라는 기능적 가치를 제공한다. 반면, 4,500원짜리 스타벅스 아메리카노는 매장의 음악과 편안함으로 심리적 가치를 강조하며, 가격이 비싸더라도 생산자에게 제대로 보상을 주는 것은 그 자체로 커피가 갖는 사회적 가치를 드러낸다. 최근 비건이 유행하면서 일반 육류보다 비싸지만, 콩고기를 구입하는 고객이 늘고 있다. 비건 콩고기는 기능적 가치와 심리적 가치를 뛰어넘은 사회적 가치를 제공하기 때문이다.

한마디 : 기능, 심리, 사회적 가치

제22장 세 가지 가격

제 21장에서 가치, 가격, 원가의 관계를 V 〉 P 〉 C로 정의하였으며, 가치는 세 가지로 구분될 수 있다고 설명하였다. 가치를 세 가지로 구분할 수 있듯이 가격도 세 가지로 구분할 수 있다. 그것은 바로 준거가격, 최소가격, 유보가격이다.

2023년 OTT 드라마 더글로리에서 극중 문동은과 하도영이 썸(?)을 타게 만들었던 편의점이라는 공간

속의 삼각김밥의 가격은 얼마일까? 굳이 우리가 구글에 검색 하거나 생성형 AI인 챗지피티에 질문하지 않아도 대부분의 사람들은 "1,000원에서 1,500원 정도이다."라고 생각할 것이다. 여기서 1,000원이라는 가격은 삼각김밥의 준거가격이다. 어떤 고객이 매우 배가 고프다. 편의점에 가니 삼각 김밥이 2,000원이다. 구입할까? 아마 구입할 가능성이 높을 것이다. 그런데, 삼각김밥의 가격이 2,000원을 넘어가면 어떨까? 아마 너무 비싸다고 생각하며 구매를 포기하고 김밥이나 샌드위치를 구입할 수 있을 것이다. 여기서 2000원이라는 가격은 고객으로 하여금 구매를 포기 혹은 유보하게 만드는 유보가격이 된다. 편의점에서 할인행사로 유통기한이 임박한 삼각김밥을 정상가격인 1,000원이 아닌 500원에 판매한다고 가정하여 보자. 500원까지는 고객이 "와 싸다!"라고 외치며 구매할 수 있지만, 500원보다 더 저렴한 가격표가 붙어 있으면 "상한 것 아닐까?"라고 삼각 김밥의 품질을 의심하며 구매를 포기할 것이다. 500원 미만으로 떨어지면, 고객은 삼각김밥의 품질을 의심하며 구매를 포기할 수 있다.

또 다른 예를 들어보자. 과거 해외여행이 1989년 자유화된 이후 한국 사람들이 가장 많이 간 관광지는 태국 방콕이었다. 4박5일에 399,000원이라는 항공요금보다도 저렴한 상품들이 2024년에도 판매되고 있다. 이것이 가능한 이유 중의 하나가 여행사와 가이드가 쇼핑마진을 통하여 이윤을 남기기 때문이데, 원리가 이렇다. 방콕을 관광하다가 쇼핑센터를 들리게 되고, 그곳에서 가이드는 관광객에게 라텍스 베개를 구입하라고 한다. 고객(관광객)들은 라텍스 베개가 가격에 대한 정보가 없어서 가이드가 제시하는 가격이 적정한지 판단하지 못하고 있는 경우가 대부분이다. 이 경우 가이드는 스마트폰을 활용하여 네이버나 구글과 같은 검색엔진에 접속하여 해당 라텍스 베개의 상품모델 번호를 알려주고 검색하라고 할 것이다. 아마 정가가 100불로 표시가 되는데, 방콕 쇼핑센터에서는 50불에 판매되고 있는 것이다. 고객들은 네이버에서 라텍스 베개의 가격이 100불로 검색되는데, 자신의 앞에 진열된 라텍스 베개가 50불이라면 "와 싸다!"라고 외치며 구입할 것이다. 그런데, 사실 검색엔진을 통하여 노출된 사이트의 라텍스 베개 가격은 실제 판매 목적이 아닌 가이드들이 고객들의 준거가격을 조작하고자 만든 경우들이 대부분이다.

[그림38] 준거가격의 예

가격에는 세 가지가 있다. 비싼지? 싼지? 기준으로 삼는 가격이 준거가격이고 이와 같은 준거가격을 기준으로 자신이 구입할 수 있는 최대 가격인 유보가격과 너무 싸서 구입을 포기하게 만드는 최소가격이 존재한다.

한마디 : 세 가지 가격인 준거, 유보, 최소

제23장 세 가지 원가

가치와 가격과 원가의 관계를 V > P > C로 나타내었다. 이중 가치를 기능적, 심리적, 사회적 가치로 구분하였고, 가격을 준거, 최소, 유보가격으로 구분하였다. 가치와 가격과 마찬가지로 원가도 세 가지로 구분할 수 있다. 세 가지 원가는 바로 재료비, 노무비, 경비가 바로 그것이다. 재료비는 특정 제품을 생산하기 위하여 투입된 비용으로서 직접적으로 추적할 수 있는 원가이다. 예를 들어, 농심에서 신라면을 생산할 때 밀가루가 대표적인 재료비에 해당된다. 두 번째로, 노무비가 있는데 신라면을 생산하기 위하여 투입된 근로자의 임금을 의미하며 역시 직접적으로 추적이 가능하다. 마지막 경비는 이와 같은 재료비와 노무비 이외의 모든 제조원가를 의미하는데 예를 들어 신라면을 생산하기 위하여 사용된 전기료, 수도세, 감가상각비, 소모품비용 등이 해당한다.

재료비

첫째, 재료비는 다시 제품의 제조를 위하여 소비되는 물품의 원가를 재료비 또는 원료비로 나타낼 수 있는데, 이는 필요에 따라 주요 재료, 부분품, 보조 재료, 소모공구, 기구비품등으로 구분한다.

재료비는 기업에서 제품을 생산할 때 필요한 재료의 비용이다. 재료는 기업에서 무언가를 만들 때 필요한 것들로, 예를 들어서 요리를 할 때는 식재료가, 공작을 할 때는 나무나 금속 같은 재료가 포함될 수 있다. 재료비가 중요한 이유는 재료비는 기업에서 무엇인가를 만들거나 일을 할 때에 꼭 필요한 비용이라는 것이다. 예를 들어서, 우리가 요리 한다고 생각하여 보자. 요리를 하려면 재료가 필요하고, 해당 식재료를 사는 데에 돈이 들게 되는데, 이것이 바로 재료비이다.

재료비의 중요성을 어떻게 이해할 수 있을까? 재료비는 기업이 무엇인가를 만들기 위해 필요한 돈이라고 생각할 수 있다. 재료비가 없으면 기업에서는 원하는 것을 만들지 못할 수 있다. 재료비가 계산되는 방법은 재료비는 만들거나 일을 할 때 사용되는 재료의 종류와 양에 따라 다를 수 있는데, 재료가 비싸면 재료비도 많이 들게 되고, 재료가 싸면 재료비도 적게 든다. 예를 들어서, 아파트 건설회사가 고급 재료를 사용하면 재료비가 비쌀 것이고, 저렴한 재료를 사용하면 재료비가 적게 들 것이다.

노무비

둘째, 노무비는 제조 활동과 관련되어 있는 인건비를 의미한다. 노무비는 임금과는 차이가 있는데 임금은 제품 제조를 위한 노동력에 대하여 지급되는 대가인데 반해, 노무비는 매입한 노동력을 소비함으로써 생기는 원가요소를 나타낸다. 노무비는 소비의 형태에 따라서 직접노무비와 간접노무비로 나뉜다. 직접노무비는 제품 생산에 직접 종사하는 사람에게 지급되는 것이고 간접노무비는 간접작업임금·휴업임금·퇴직적립금 등의 복지비를 말한다.

노무비는 한 마디로 기업에서 구성원들이 일을 하거나 노동 할 때 받는 돈이다. 이 돈은 기업 구성원이 근무하는 대가로 주어지는 것이다, 노무비를 이해하기 위해서는 일과 돈에 대한 기본적인 개념을 알아야 한다. 일이란 사람들이 노력을 기울여 무언가를 만들거나 서비스를 제공하는 것이다. 그런 일을 할 때 돈을 벌게 된다. 노무비는 일하는 사람이나 기업이 노동의 보상으로 받는 돈이다. 한 시간을 얼마로 평가하느냐에 따라 결정된다. 그래서 일을 하면서 받는 돈도 그 시간 만큼이다.

노무비는 일하는 사람이나 기업에 중요한 것이다. 이유는 근로자들이 얼마나 노동하는지에 따라 돈을 벌 수 있기 때문이다. 노무비는 일하는 사람들이나 기업이 노력하고 일할 동기를 부여하는 데 도움이 된다.

[그림39] 재료비로써의 원가

노무비는 노동의 대가로 받는 돈이지만, 이것만으로는 충분하지 않다. 예를 들어, 일하는 사람들은 세금을 내야 할 수도 있고, 다른 비용이나 혜택을 고려해야 할 수도 있다. 이렇게, 노무비는 일하는 사람이나 기업이 노동의 보상으로 받는 돈이다. 이 개념을 이해하는 것은 돈과 노동에 대한 개념을 이해하는 것과 더불어, 돈을 벌고 쓰는 방법에 대한 이해도 함께 필요하다.

경비

원가는 상품을 만들거나 서비스를 제공하는 과정에서 들어가는 모든 비용이다. 이 비용은 다양한 요소들로 이루어져 있다. 그중의 하나가 경비이다. 재료비나 노무비의 경우와는 달리, 경비는 소극적으로 정의한다. 경비 중에는 물품 내지 노동력 이외의 원자재를 소비하였다고 볼 수 있는 보험료, 임차료, 통신비 같은 순수한 경비가 있다. 한편 가스, 용수 같은 물품을 소비한 경우일지라도 경비로 계상하는 경우가 있다. 경비는 상대적 의미가 있어 기업에 따라 그 범위가 변동될 수 있다. 경비는 그 내용이 복잡하고 다양하여 원가 항목의 수도 많으며, 기업의 업종 규모 등에 따라 원가 항목이 달라질 수 있다. 또한 경비의 대부분은 간접 경비에 속하므로 제조 간접비의 중요한 구성 요소가 된다.

경비는 사업을 운영하는 데에 필요한 여러 가지 비용 중 하나이다. 예를 들어, 공장을 운영한다면 전기요금, 수도 요금, 임금, 원재료 구입비용 등이 모두 경비에 해당한다. 이 비용들은 제품을 만들거나 서비스를 제공하는 과정에서 빠질 수 없는 부분이다.

공장을 예로 들어보면, 전기 요금은 기계를 가동하고 빛을 밝히는 데에 필요한 돈이다. 수도 요금은 생산하는 동안에 사용되는 용수 사용에 대한 비용을 말한다. 임금은 공장에서 일하는 노동자들에 대한 대가로 지급되는 돈이고, 원재료 구입비용은 제품을 만들 때 필요한 원자재를 사는 데에 사용되는 비용이다.

경비는 제조나 서비스 제공 과정에서 발생하는 다양한 비용을 포함한다. 이 비용들은 제품이나 서비스를 제공하는 과정에서 반드시 들어가야 하는 부분이다. 이 비용들을 제품의 가격에 포함해야만 사업이 이윤을 창출할 수 있다. 사업을 하는 사람들은 경비를 최대한 효율적으로 관리하려고 노력한다. 경비를 효율적으로 관리하면 제품의 가격을 낮출 수 있고, 더 많은 소비자들에게 제품을 판매할 수 있다.

정리하면, 경비는 사업을 운영하는 데에 필요한 여러 가지 비용 중 하나로, 제품을 만들거나 서비스를 제공하는 과정에서 반드시 들어가는 비용이다. 이 비용들은 제품의 가격 결정에 영향을 미치며, 사업을 효율적으로 운영하기 위해 중요한 역할을 한다.

한마디 : 재료비, 노무비, 경비

제24장 세 가지 가치, 가격, 원가 종합

기업은 고객에게 기능적, 심리적, 사회적 가치를 제공하고, 이에 대한 반대급부로 준거, 유보, 최소라는 가격을 얻을 수 있다. 이때 제공된 가치는 받은 가격보다 커야 하며, 이러한 가치를 생성하기 위해 지출되는 원가(재료비, 노무비, 경비)는 가격보다 낮아야 한다. 이를 [그림 40]과 같이 표현할 수 있다.

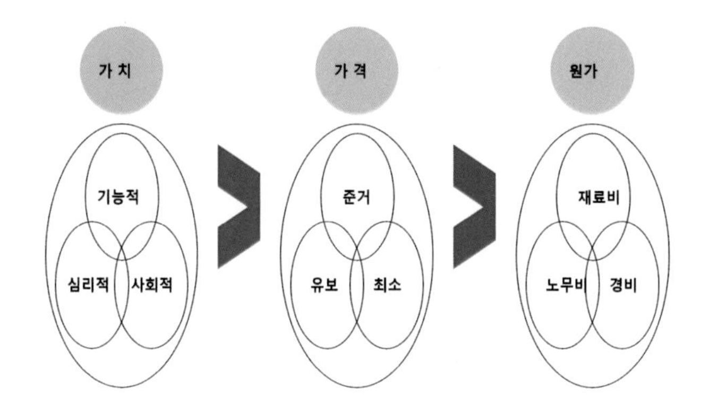

[그림40] 세 가지 가치, 세 가지 가격,
세 가지 원가

기업의 본질적 기능은 가치(기능, 심리, 사회)를 최대화하고, 원가(재료비, 노무비, 경비)는 최소화하면서 적절한 가격(준거, 유보, 최소) 가격을 형성하는 것이고, 이를 위하여 마케팅, 회계학, 생산관리와 같은 다양한 하부 영역들이 이를 실현하는 역할과 책임을 수행한다.

한마디: 기업은 가치를 최대화하고, 원가를 최소화하여 적절한 가격을 설정해야 한다.

제25장 가치, 가격, 원가의 변경순서

전장에서 가치, 가격, 원가의 관계를 V 〉 P 〉 C로 나타내었다. 가치는 기능적, 심리적, 사회적 가치로 나뉘며, 가격은 준거, 최소, 유보 가격으로 구분되고, 또한, 원가는 재료비, 노무비, 경비로 구분된다.

이를 공식으로 정리하면 다음과 같다.

V(기능+심리+사회) 〉 P(준거+최소+유보) 〉

C(재료비+노무비+경비)

기업의 구성원들이 수행하는 주요 목표는 가치의 최대화와 비용의 최소화이다. 예를 들어, '농심 신라면'을 가지고 다시 살펴보자. 신라면의 판매가 순조롭다면 문제가 없겠지만, 신라면 매출이 부진하다면 어떻게 하여야 할까?

[그림41] 매출이 부진한 라면

귀하가 신라면 제품 매니저라면 어떻게 할 것인가?

신라면의 가치, 신라면 가격, 신라면 원가의 변경을 고려할 수 있을 것이다. 가치를 높이는 측면에서 더 맛있는 신라면을 개발할 수도 있을 것이고, 원가를 낮추는 측면에서 신라면 스프 원료를 국산에서 중국산으로 변경하거나, 생산 공장을 국내에서 해외로 이전할 수도 있을 것이다. 그렇지만, 더 맛있는 신라면을 만들거나 생산 공장의 이전과 같은 방법들은 단기간에 이루어지지 않고 쉬운 일도 아니다. 그래서 대부분의 기업, 대부분의 제품 담당자는 V(가치)나 C(원가)의 변경에 앞서서 가격을 낮춤으로써 판매부진의 문제점을 해결하고자 한다. 실제로 1000원이라는 소매가격을 700원에 판매한다면 매출 확대에 도움이 된다. 그러나 명심하자. 가격(P)을 낮추는 것은 가장 쉬운 일이지만, 한번 낮추어진 가격(P)에 대하 이미지를 나중에 변경하는 것은 매우 어려운 일이다. 가격은 제일 먼저 변경할 요소가 아니라 제일 나중에 변경하여야 하다. 이를 순서에 따라 다음과 같이 정리할 수 있다.

원가의 변화가 우선되어야 하며, 그 다음에는 가치의

변화가 이루어져야 하고, 마지막으로 가격이 조정되어야 한다.

첫째, 원가의 변경

가격이 아닌 원가 혹은 가치의 변경 중에서 어느 것이 수월할까? 가치를 높이는 것보다는 원가의 변경이 더 용이하다. 실제로 기업들은 원가절감이라는 이름으로 "점심시간 소등", "법인카드 사용금지", "납품업체 단가 깍기" 등의 방법으로 원가인 C를 절감하고자 활동을 수행한다. 최저 인건비 인상 이후 기업들은 무인화를 통하여 원가절감을 수행하고 있고, 실제로 맥도날드나 롯데리아와 같은 프랜차이즈 전문점에 가보면 대부분의 고객들이 무인 키오스크를 사용하여 주문을 한다. 무인 편의점, 무인카페, 무인 라면점, 무인 아이스크림 전문점이 이제는 주변에서 흔하게 볼 수 있는 부분들이 되고 있다.

둘째, 원가절감을 하더라도 가치의 본질적인 부분을 훼손해서는 안 된다.

지난 10여 년간 대한민국에 여러 사건사고들이 있었다. 필자는 개인적으로 2014년의 세월호 사건, 2022년의 이태원 참사 모두 가슴 아픈 사건으로 여기지만, 가장 가슴 아픈 사건 중 하나로 2010년의 옥시 가습기 살균제 사건을 언급하고자 한다. 세계적인 글로벌 기업인 옥시에서 생산한 가습기 살균제의 유해성으로 수천 명이 넘는 사상자가 발생하였다. 어쩌다가 세계적인 기업인 옥시에서 이와 같은 일이 벌어졌나? 옥시에서는 가습기 살균제를 생산하는 원가를 절감하고자, 제품출시 직전 필수적으로 수행하여야 하는 독성 검증실험을 생략하였고, 이는 "가습기 살균제는 안전해야 하고 인체에 무해하여야 한다."라는 기본적이고 본질적인 가치를 훼손한 일로 나타났고, 결국 어처구니없는 일로 연결되게 만든 것이다.

세계적인 명차를 제조하는 기업과 국가는 어디일까? 벤츠, BMW, 아우디로 대표되는 독일 자동차, 포드, 쉐보레로 대표되는 미국 자동차, 프랑스는 르노 자동차, 영국의 롤스로이스, 이탈리아는 피아트가 유명 자동차 기업이고, 한국에는 현대기아 자동차가 있다.

그렇다면 옆 나라 일본 최고의 자동차 기업은 어느 기업일까? 바로 도요타 자동차이다.

[그림42] 가치를 훼손한 원가절감

2010년 초반 도요타의 신임 회장은 당시 현대기아 자동차와 같은 후발 자동차 기업들의 거센 추격에 대응하기 위하여 본사, 협력업체, 납품업체에 무조건 원가절감 30%(C의 최소화)를 요구하였고, 전체 관계자들이 이를 향하여 달려갔다. 원가를 최소화하기 위한 이와 같은 방향 설정은 올바른 방향이다. 그러나 옥시 사례와 마찬가지로 소비자(사용자)에게 주어지는 본질적인 가치를 훼손하지 않는 범위에서 이와 같은 원가절감이 이루어져야 하는데, 도요타의 원가절감 방향은 이를 훼손하였다.

[그림43] 가치를 훼손한 원가절감 두 번째

자동차가 사용자에게 제공하는 본질적인 가치는 엑셀을 밟으면 이동하고, 브레이크를 밟으면 정지해야 한다. 그런데 도요타의 무리한 원가절감은 이 기본을 훼손하였고, 급기야 도요타의 명차인 렉서스가 미국 캘리포니아 고속도로를 폭주하여 일가족 다섯 명이 사망한 끔찍한 결과로 나타나게 되었다. 세계적인 명차 제조사인 도요타에서는 이와 같은 사고를 발생시킨 오명에서 벗어나는데 거의 10여 년이 소요되었고, 도요타의 브랜드 이미지에 미친 영향은 치명적이었다.

한마디 : 가치의 본질적 부분을 훼손하지 말자

제26장 가치, 가격, 원가 변경순서(2)

전장에서는 원가를 절감하여도 사용자에게 주어지는 본질적인 가치를 훼손하지 않는 범위에서 이를 수행하여야 하며, 이에 대한 대표적인 실패 사례로 영국의 옥시와 일본의 도요타 자동차를 소개하였다.

소비자에게 주어지는 본질적 가치를 훼손하지 않아

도 원가를 절감시킨 성공 사례는 없을까? 있다! 바로 우리나라의 아시아나 항공사이다. 항공사의 여객기가 보통 이륙을 성공적으로 수행하기 위해서는 여객기의 엔진 모두 풀가동하여야 성공적으로 상공에 진입할 수 있다. 그러나 착륙 후 지상 구간을 바퀴로 이동할 때는 모든 엔진이 가동될 필요는 없다. 엔진 하나만으로도 충분히 이동 가능하다. 그러나 항공기 기장들은 습관적으로 이륙할 때 모든 엔진을 가동하고, 지상 구간 이동 시에도 모든 엔진을 가동하여 이동하였다. 아시아나 항공 본사에서는 지상 구간 이동 시 유류비 절감(C의 최소화 차원)을 위하여 "엔진 하나만으로 이동할 것" 이라는 새로운 지침을 기장들에게 제시하였고, 기장들은 이를 준수하였다. 항공기 승객입장에서는 지상 구간 이동시 엔진 네 개로 이동하든, 하나로 이동하든 지상 구간을 "안전하게 이동할 수 있다." 라는 자신에게 주어지는 본질적인 가치가 하나도 훼손되지 않았고, 아시아나 항공 전체적으로 오랜 기간 동안 이와 같은 방법으로 상당부분의 유류비 절감의 효과를 가질 수 있었다.

[그림44] 본질적 가치를 유지하는 원가절감

항공기를 탑승하고 해외여행을 할 때 가장 즐거운 순간이 언제일까? 필자의 경우는 항공기에서 기내식을 먹을 때이다. 기내식 비용 또한 항공권 요금에 포함된 것이지만 왠지 무료 식사라는 생각이 들어 기분이 좋다.

기내식을 승무원이 어디에 담아 운반하여 올까? 바로 카트에 담아올 것이다. 그렇다면, 카트는 보통 무엇으로 만들어져 있는가? 무거운 알루미늄으로 만들어진 카트가 대부분일 것이다.

[그림45] 본질적 가치를 유지하는 원가절감
두 번째

아시아나 항공에서는 두 시간 이내의 단거리 국제선 노선의 경우 기존의 알루미늄 카트 대신 플라스틱 카트를 사용할 것을 권장하였다. 이유는 바로 카트의 무게를 줄이기 위함이다. 승객 입장에서는 자신에게 주어지는 기내식이 알루미늄 카트에 담겨 오든 플라스틱 카트에 담겨오든 “기내식은 식지 않고 따뜻해야 된다."라는 본질적인 가치를 훼손하지 않고 기내식을 즐길 수 있게 된 것이다. 이 하나만으로 가치를 훼손하지 않으면서 항공기 무게 총량을 줄일 수 있었고, 이는 원가절감(C의 최소화)으로 이어질 수 있었다.

앞장과 본장을 요약하여 정리하여 보자. 가치와 가격과 원가를 변경할 경우, 가격을 변경하는 것이 가장 용이하지만, 가격은 처음부터 변경하면 안 되고, 최후에 변경하여야 하고, 가격 변경 이전에 가치와 원가의 변경을 먼저 고려할 수 있는데, 원가절감이 가치향상보다 상대적으로 용이하기 때문에, 원가절감을 제일 먼저 수행할 수 있지만, 원가를 절감하는 노력을 수행하여도 명심하여야 할 것이다. 바로 고객에게 주어지는 본질적인 가치는 절대 훼손하지 않는 범위 내에서 이를 수행하여야 한다. 그러면 왜 가격을 먼저 변경하면 안 되는가? 이유가 있다. 가격을 변경하기는 가장 쉽지만, 한번 변경된 가격에 대한 이미지를 추후 변경하는 것은 너무 어렵기 때문이다. 사극과 같은 드라마나 영화 속에 도자기 장인들이 힘들게 구운 도자기에 일반인은 도저히 알 수 없는 작은 흠이 보이면 가차 없이 박살내는 장면이 종종 등장한다. 혹자는 "그렇게 깨트리지 말고, 싸게라도 판매하면 더 이득일 텐데"라고 생각할 수 있지만, 도자기가 가지는 가치를 지키기 위하여 도자기를 박살내는 방법을 선택한다. 도자기의 가격을 낮추어 판매하기는 쉽지만, 한번 변경된 가격의 도자기에 대한 이미지(가치)를 회복하기는 매우 어렵다는 것을 알기 때문이다.

[그림46] 가격을 먼저 변경하지 말자

[그림47] 명품백의 소각

남자는 명차를 좋아하고, 여자는 명품백을 좋아한다는 우스갯소리가 있다. 명품백을 제조 판매하는 세계적인 기업들은 어떤 제품이 판매되지 않고 재고가 남으면 어떻게 할까? 할인하여 저렴하게 판매할까? 그렇지 않다. 남는 제품들은 과감히 소각하여 버린다. 왜 그럴까? 싸게라도 판매하면(가격의 변경), 그만큼 이득일 터인데 소각하는 이유는 바로 명품백(가방)이 가지는 가치를 지키기 위함이다.

한마디 : 가치의 본질적 부분을 훼손하지 말자.(2)

제27장 가치를 향상하는 방법

가치를 높이는 것(V의 최대화)과 원가를 낮추는 것(C의 최소화) 중 상대적으로 쉬운 것이 원가를 낮추는 것이고 이 과정 가운데, 가치의 본질적인 부분은 훼손하지 말자고 전장에서 언급하였다. 그렇다면 원가절감 수행 후 가치를 높일 방법에는 무엇이 있을까? 크게 일곱 가지로 구분하여 볼 수 있다.

첫째, 기능향상이다.

스마트폰의 카메라 화소 수가 1천만인데 2천만으로 높인다면 당연히 스마트폰의 가치는 높아질 것이고, 스마트폰의 배터리 수명이 40시간인데, 100시간으로 늘어난다면 역시 스마트폰이 가지는 가치 또한 높아질 것이다. 기능향상을 통하여 가치를 높일 수 있다.

[그림48] 기능향상을 통한 가치 최대화

두 번째, 특정 집단의 욕구를 충족시키는 것이다.

맥주를 마시면서 운전하는 운전자, 맥주를 마시는 임신 6개월의 임산부, 맥주를 마시면서 설교하는 목사님, 맥주를 마시면서 설법하는 스님, 상상하기 힘들다. 그러나 가능할 수 있다. 바로 무알코올 맥주가 그것이다. 무알코올 맥주는 맥주 본연의 맛은 보존한 채 맥주의 알코올 성분을 제거하여 맥주를 마시면 안 되는 운전자, 성직자, 임산부와 같은 특정 집단의 욕구를 충족시킬 수 있고, 이를 통하여 맥주가 가지는 가치를 향상할 수 있다.

[그림49] 특정 집단의 욕구 충족을 통한 가치 최대화

세 번째, 브랜드 지위를 활용하는 것이다.

놀이동산 롯데월드를 전철로 이동한다면 서울 지하철 2호선 잠실역에서 하차하면 된다. 잠실역 전역과 다음 역의 역명은 무엇일까? 과거 잠실역 전후 역의 명칭은 각각 성내역과 신천역이었다. 그런데 성내역은 잠실나루역으로 신천역은 잠실새내역으로 역명이 변경되었다. 익숙한 역명을 변경한 이유는 무엇일까? 바로 "잠실"이란 브랜드가 가지는 지위를 활용하여 성내역과 신천역의 가치를 높이기 위함이다.

[그림50] 브랜드 지위를 활용한 가치 최대화

과거 국내 기업들이 미국 시장에 진출하여 제품 판

매를 할 때 "메이드인 코리아"라는 명칭을 숨기고 광고모델이 일본 기모노를 입고 초밥을 먹으며 해당 제품을 사용하는 광고를 미국 소비자에게 하였다. 이유는 무엇일까? 수십 년 전 "메이드인 저팬"이 가지는 브랜드 가치는 대단하였다. 이를 활용하여 한국산 제품이 아니라 일본산 제품처럼 보이기 위함이었을 것이다. 일본을 능가할 정도로 국력이 성장한 현재 이를 똑같이 흉내 내는 국가가 누굴까? 바로 "메이드인 코리아"를 흉내 내는 "메이드인 차이나" 제품도 과거 우리의 모습을 떠올리게 한다.

네 번째, 유사한 가치를 저렴하게 제공하는 것이다.

대륙의 실수이었다가 이제는 대륙의 실력이라고 말하는 중국의 샤오미와 우리나라의 올리브영을 이기고 2023년 기준 매출 3조 원에 육박한 다이소의 공통점은 무엇일까? 바로 비슷한 가치를 저가에 제공할 수 있었기 때문이고, 이를 달성할 수 있었던 샤오미와 다이소를 흥미롭게 바라볼 수 있고, 가치를 높일 수 있는 네 번째 방법을 제공한 것이다.

[그림51] 유사 가치 제공을 통한 가치 향상

다섯번째 리스크 감소를 통한 가치 향상

1,000만 관객을 달성한 국내 영화 중 하나가 범죄도시이다. 범죄도시3를 보면 미워할 수 없는 빌런(악당)이 등장한다. 바로 중고 자동차 딜러로 등장하는 초롱이이다. 영화 중 초롱이가 젊은 부부를 대상으로 중고차 판매 사기를 치는 장면이 등장한다. 영화가 아니라 실제 현실에서도 중고자동차 거래 시장에서는 자동차에 대하여 잘 모르는 소비자를 대상으로 한 사기 사건이 종종 발생한다.

[그림52] 리스크 감소를 통한 가치 향상

이와 같은 사기를 예방할 방법은 없을까? 실제로 이를 수행한 기업이 있다. 바로 SK의 엔카이다. SK라는 브랜드는 국내 소비자 중 모르는 소비자가 없고, 또 믿을만하다고 신뢰를 보낸다. 중고 자동차 거래시장에 사기가 발생할 것을 우려하다가도 SK라는 브랜드로 인하여 이와 같은 우려, 즉 리스크가 감소하고 보다 많은 소비자들이 안심하고 중고 자동차 매매시장에 참가할 수 있게 된다.

여섯 번째 새로운 접근성 확보를 통한 가치향상

에어비앤비의 기업 가치는 세계 제일의 호텔체인인 힐튼을 넘어선지 오래이다. 실제 호텔 건물을 하나도 보유하지 않은 에어비앤비가 이와 같이 성장한 비결은 무엇일까? 바로 고객에게 천편일률적인 호텔 객실이 아닌 현지 국가의 현지 주택을 숙박하고 경험할 수 있는 새로운 접근경로를 제공하였기 때문이라고 할 수 있다. 프랑스의 성, 원주민의 오두막, 에스키모의 이글루, 한국의 한옥과 같이 상업화된 숙소가 아닌 이전에는 접근하기 힘들었던 숙소에 대한 경로 제공이 성공 비결이고, 이는 커다란 가치 창출로 이어졌다.

[그림53] 새로운 접근성 확보를 통한 가치향상

일곱 번째 이미지 개선 마케팅 방법을 통한 가치향상

극락도 락(樂)이다. “오빠 몇살?” “관세음 보살”이라고 화제를 가져오는 개그맨이 있다 바로 뉴진스님으로 2024년 기준 딱딱하고 고루하게 느끼었던 불교에 대한 이미지를 젊은 사람들이 다가서기 친숙하고 거부감이 없게 바꾸어주는 개그맨이 있다. 2024년 연등회 행사 뒷풀이로 “부처 핸섬”, “이 또한 지나가리”로 열창하며 젊은 참가자들의 관심을 촉발시켰다. 이미지 개선이라는 마케팅을 통한 가치향상이다

한마디 : 일곱 가지 방법을 사용하여 가치를 높이자.

제28장 가치와 통찰력

전술한 가치와 가격과 원가의 관계를 다음 페이지에서와 같이 [그림 54]와 같이 나타낼 수 있다.

전장에서 가치 부등식을 일련의 수학 공식의 형태인 V 〉 P 〉 C로 나타내었는데, 이와 같은 고객이 원하는 가치를 찾는 방법은 무엇일까? 바로 통찰력

(Insight)이다.

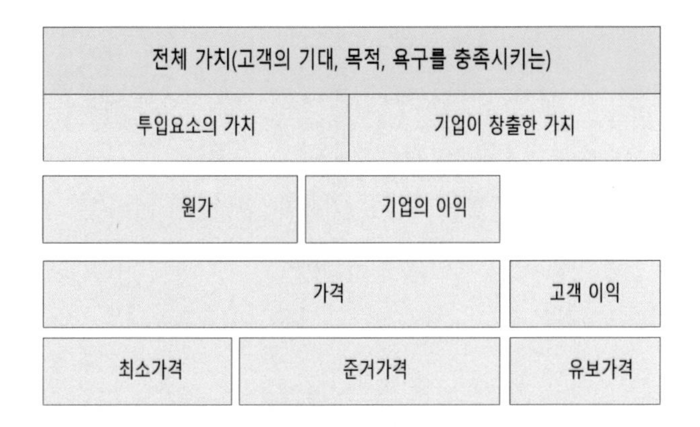

[그림54] 가치와 가격과 원가의 관계

통찰력은 사전적으로 "한눈에 알아보는 기술", "표면 아래 숨어있는 진실을 파악하는 기술", "감추어진 핵심을 직관적으로 파악하는 기술"로 정의할 수 있다. 이를 공식화시킨다면 영어 숙어인 "Not A But B"의 형태로 나타낼 수 있다. 바로 A가 아닌 B라는 형태이고, 이를 응용하여 가치, 장소, 형태를 달리 제시함으로써 고객이 원하는 가치를 발견할 수 있는 통찰력으로 활용할 수 있다. 사례를 통하여 다음과 같이 살펴보자.

첫 번째 사례 : 스타벅스

1992년 미국 시애틀에서 창업한 스타벅스는 2024년 기준 전 세계 대부분의 국가에 진출하였는데, 마지막 순간까지 진출을 주저한 국가가 있었다. 바로 세계 최대의 커피 원산지 국가인 브라질이었다. 주저한 가장 큰 이유는 브라질에는 이미 스타벅스 커피보다 훨씬 저렴하고 맛있는 커피 전문점이 많았다는 점이었다.

[그림55] 브라질 스타벅스

스타벅스 본사 직원들은 위와 같은 이유로 진출을 주저하였는데 창업자이었던 슐츠 회장의 생각은 달랐다. 브라질 고객이 원하는 것은 커피가 아니라 스타벅스라는 공간에서 체험할 수 있는 아메리칸 라이프 스타일이라고(Not **커피** But **미국식 문화**) 중점적으로 접근할 것을 다르게 제시하였고, 결과는 대성공이었다.

두 번째 사례 : 몬스터 버거

세계 최대의 햄버거 프랜차이즈를 떠올린다면 맥도날드이고 경쟁기업은 버거킹이나 국내의 롯데리아나 맘스터치가 먼저 생각나겠지만 미국 시장에서 맥도날드의 가장 큰 경쟁자는 하디스 버거이다. 과거 햄버거가 정크푸드로 공격받게 되니까 맥도날드에서는 매장 한곳에 유럽식 식탁보로 장식하고 종업원이 직접 서빙하며 포크와 나이프로 햄버거를 우아하게 먹는 수제버거를 선보였지만 보기 좋게 실패하였다.

맥도날드가 이와 같은 접근방법을 취할 때, 경쟁사인

하디스의 접근방법이 달랐다. 고객이 좋아하는 햄버거는 건강에 좋은 햄버거가 아닌 싸고 맛있게 배를 채우는 햄버거로 정의하고(Not 건강 But 싸고 양 많음), 경쟁사인 맥도날드의 빅맥보다 훨씬 큰 8,000칼로리의 내장파괴 버거 소위 몬스터 버거를 출시하였다. 결과는 대성공이었다. 바로 햄버거가 가지는 본질적인 부분에 집중한 결과이었다.

세 번째 사례 : 할리 데이비슨 오토바이

일본의 혼다 오토바이가 미국 시장에 진출하기 시작하자, 미국 소비자들은 저렴하고 품질까지 좋은 혼다 제품을 선택하였다. 이에 대하여 미국의 기업인 할리 데이비슨사는 오토바이 제품 자체로 혼다와 경쟁하지 않았고, 오토바이를 중심으로 동호회 조직을 지원하고, 오토바이 운전 남성들의 야성미를 강조하는 광고를 하기 시작하였다. 바로 오토바이 문화를 팔기 시작한 것이다. (Not 제품 But 문화) 적어도 미국 시장에서만큼은 혼다 오토바이를 이길 수 있었다.

[그림56] 할리데이비슨 오토바이

네 번째 사례 : 우리나라 조폐공사

5만 원권 지폐의 등장, 신용카드의 일상화, 간편결제 보급으로 조폐공사의 화폐 발행 수가 줄기 시작하였다. 조폐공사에서는 자신을 화폐 기업이 아니라 위폐 방지 기술인 홀로그램 기술 전문기업으로 재정의(Not 화폐 But 홀로그램 기술)하기 시작하였다. 결과적으로 조폐공사는 화폐 이외에 상품권, 복권, 양주 뚜껑, 명품 가방, 여권까지 진출이 가능하여졌고 이와 같은 사업다각화를 통하여 사상 최대의 매출을 달성할 수 있었다.

다섯 번째 사례 : 코닥

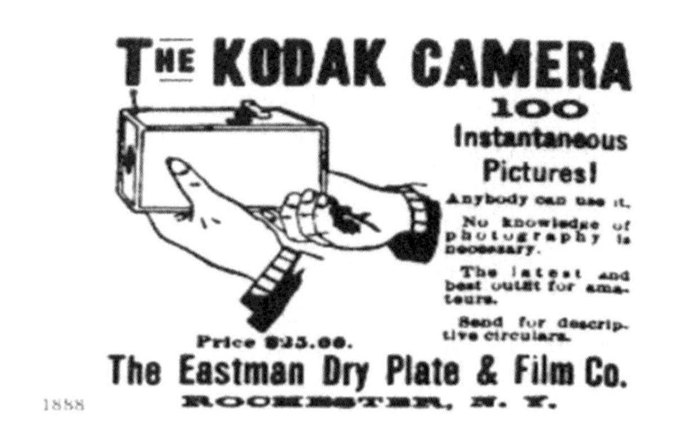

[그림57] 코닥 카메라

"우리의 고객은 사진사가 아니라 일반인이다(Not 사진사 But 일반인)"라는 선명도가 떨어지지만, 가격이 저렴한 B급 카메라를 개발한 코닥은 선명도가 중요한 사진사가 아니라 편의성이 중요한 일반 소비자로 판매 대상을 전환하였다. 결과는 디지털카메라가 대중화되기 이전 카메라 부분 1등으로 성장할 수 있었다.

여섯 번째 사례 : 우리나라 코웨이

코웨이는 웅진에서 시작한 정수기 전문 브랜드이었다.[16] 우리나라 최고의 전자기업인 삼성이나 엘지도 정수기를 생산하고 있지만 코웨이 정수기만큼은 이들 대기업을 누르고 독보적이다.

이유가 있다. 삼성이나 엘지가 정수기를 전자제품으로 바라보았다면, 코웨이는 정수기는 전자제품이 아니라 고객관계의 관계 구축(Not 전자제품 But 관계 구축)으로 정의한 것이다. 코웨이는 학습지 기업 시절부터 학습지 교사들이 가가호호 방문하면서 주부 고객들과 소통하고 관계성을 구축하는 탁월한 노하우가 있었다. 학습지 사업과 정수기 사업은 별개처럼 보이지만, 본질은 동일하다.

---

16) 코웨이는 웅진에서 매각되어 2024년 2월 기준 넷마블이 소유기업이다.

바로 학습지 교사의 역할을 정수기 사업의 코디가 담당한 것이다. 정수기 코디들이 정기적으로 정수기 설치 주택을 방문하면서, 주부들과 소통하고 관계성을 구축할 수 있었고, 신뢰감을 구축한 주부들에게 정수기 이외에 공기청정기, 비데까지 판매할 수 있었다.

한마디 : Not A But B

제29장 통찰력을 가지려면!

앞 장에서 가치 부등식을 일련의 수학 공식의 형태인 V > P > C로 나타내었는데, 이와 같은 고객이 원하는 가치를 찾는 방법인 통찰력을 Not A But B의 형태로 나타내었다. 그렇다면 고객이 원하는 가치를 발견하는 통찰력을 타고난 사람도 있겠지만, 일반 사람은 이와 같은 통찰력을 어떻게 가질 수 있을까? 세 가지 방법이 있다.

첫째, 궁즉변 변즉통(窮卽變 變卽通)

중국의 고전인 주역에 이와 같은 말이 있다.

"궁즉변 변즉통(窮卽變 變卽通)"

우리말로 번역하자면, 궁(간절하면)하면 변하게 되고, 변하면 통(해결)된다는 뜻으로 해석할 수 있다.

기업에서 영업을 제일 잘하는 최고의 영업맨은 누구일까? 인맥, 제품지식, 수려한 언변 등 다 중요하지만, 제일 중요한 것은 따로 있다. 실제 영업담당자의 말에 의하면 영업을 가장 잘 하는 사람은 간절한 사람, 절실한 사람이다.

이재용 삼성전자 회장의 선친인 이건희 회장은 잘 나가는 삼성전자 스마트폰 사업장을 찾아가 "이대로 가다가 우리 삼성은 5년 이내에 망한다."라는 말을 되풀이 하였다. 이유는 자만하지 말고, 항상 절실하고 간절히 업무에 임하라는 뜻이 아니었을까 여겨진다.

베트남과 같은 해외국가를 여행하다 보면 학력 대비 영어실력이 가장 뛰어난 집단은 대학졸업자가 아닌 평균학력이 중학교밖에 안되다고 말하는 공항 택시 운전기사라는 말이 있다. 왜 그럴까? 공항에서 외국인 손님을 태우기 위해서는 영어가 필수적이다. 택시 기사 스스로 간절하고 절실하니까 영어를 잘하기 위하여 변할 수밖에 없는 것이다.

둘째, 남아수독 오거서(男兒必讀五車書)

기업에서 마케팅 부서에서 근무하든, 기획 부서에 근무하든, 회계 부서에 근무하든 자신의 분야 도서 100권만 읽어 보자. 1주일에 1권, 2년이면 100권 읽을 수 있다. 그러면 자연스럽게 말로 잘 설명되지 않지만, 자신만의 통찰력이라는 것이 생기게 된다.

소위 북백(Book100) 리스트를 만들고 이를 실천하는 것인데, 이와 같은 자신만의 책을 선정하고 책을 대하는 방법에 있어서 다음과 같은 세 가지를 명심하자.

첫째, 책의 내용을 파악하고
둘째, 저자가 왜 이렇게 썼는지 파악하고
셋째, 나라면 어떻게 책을 쓸 것인지 생각하여 보는 것이다.

이와 같은 과정 가운데 통찰력이 만들어진다

셋째, 내 분야와 다른 분야를 연결하자.
다음의 사례들을 살펴보자. 금융업 후발주자 신한은행 연수원은 경기도 기흥에 있다. 신한은행의 신입 행원들은 신입 행원 연수시 용인의 놀이동산인 에버랜드에서 아르바이트를 수행하도록 하였다. 국내 최고의 친절한 놀이동산인 에버랜드의 경험을 통하여 국내 최고의 은행이 될 수 있었다.

포드사의 T 자동차가 탄생한 아이디어는 포드 회장의 집 근처 닭을 잡던 도살장이었다. 대량생산을 가능하게 한 컨베이어 벨트가 자동차 공장에 도입되었고, 부자들만의 전유물인 자동차가 일반 서민들도 구입이 가능한 제품이 되게 한 획기적인 시작이었다.

내 분야이외에 다른 분야를 연결하고 몰입하여 관찰하고 소통하는 가운데 나만의 통찰력이 만들어진다.

한마디 : 통찰력을 갖는 방법 세 가지

제30장 가치와 비즈니스 모델

기업에서 수행하는 업무를 단순히 말하면 고객에게 가치(V)를 제공하고 수익(P)을 창출하는 것이다. 그런데 이와 같은 주고받음이 일회성이 아니라 1년 후에도 5년 후에도 10년 후에도 지속적으로 발생하기 위해서는 가치와 수익의 주고받음이 체계화되어야 하고, 이와 같은 체계가 비즈니스 모델이다.

2022년 11월 챗지피티(ChatGPT) 3.5가 출시되었고, 2023년 4월 챗지피티(ChatGPT)4.0이 출시된 이후 세상은 그야말로 생성형 인공지능 열풍이다. 그런데 이 열풍 보다 더 세상이 떠들썩한 시절이 있었는데 바로 1999년 소위 닷컴버블 시대이었다. 닷컴기업들의 폭발적으로 성장하던 시기 주목받던 개념이 있었는데 바로 "비즈니스 모델"이라는 개념이다. 1998년 Paul Timmers라는 유럽의 인터넷 경영학자가 Electronic Markets라는 저널에 비즈니스 모델에 관한 연구논문을 발표하였고, 다음과 같이 정의하였다.

첫째, 특정 고객의 Needs를 충족시키기 위한 제품 또는 서비스 아키텍쳐
둘째, 사업 참여자는 누구이며 그들의 역할
셋째, 사업 참여자의 잠재적 이익에 대한 정의
넷째, 수입원에 대한 설명

마이클 루이스는 비즈니스 모델을 "돈 버는 계획"이라고 하였고, 마그레타는 "사업의 작동원리"로, 마크

존슨은 "가치제안, 이익창출, 핵심자원"이라는 세 가지 관점으로 나타내었다.
위에서 언급한 다양한 정의들 중 공통적인 요소가 있다. 바로 비즈니스 모델을 고객, 가치, 수익이라는 세 가지 요소로 설명하고자 한 것이다. 공통적인 세 가지 요소로 비즈니스 모델을 다음과 같이 정의 할 수 있다. 바로 "고객에게 가치를 제공하고 수익을 얻는 방법을 체계화시킨 것"이라고 말이다. 전장에서 고객에게 제공할 수 있는 가치는 기능적, 심리적, 사회적 가치 세 가지로 구분할 수 있다고 말하였다. 가치를 제공하고 얻을 수 있는 수익들도 세 가지로 분류할 수 있다. 바로 직접수익, 간접수익, 잠재수익이 바로 그것이다. 예를 들어보자. 국내 온라인 쇼핑 1위(2024년 2월 기준)인 쿠팡의 경우 고객에게 제품을 판매하고 중간이윤을 얻을 수 있다(직접수익). 쿠팡은 제품을 구매하고자 자사의 사이트나 애플리케이션에 접속한 사용자를 대상으로 다른 광고주의 광고를 유치하고 수익을 얻을 수 있다(간접수익). 쿠팡은 2천만 명이 넘는 회원이라는 거대한 커뮤니티를 기반으로 금융업에 진출하거나 외식사업에 진출할 수 있다(잠재수익). 이와 같은 직접수익에는 직접 판매, 중개수수료와 같은 다른 수단들도 존재하고, 간접수익에는 광고, 비용절감, Exit 모델 등이 존재하고 잠재수익에는 회원 수, 브랜드 가치, 충성고객기반 수익 등이 존재한다.

비즈니스 모델의 세 가지 구성요소로 고객, 가치, 수익을 제시하였는데, 비즈니스 모델은 고정적이지 않고, 끊임없이 변화하고 환경에 적응한다. 이를 혁신이라고 할 수 있는데, 그렇다면 기업이 경쟁자와 차별화하기 위한 혁신을 위한 방법에는 무엇이 있을까? 비즈니스 모델의 세 가지 구성요소로 이를 다음과 같이 정의할 수 있다. 바로 고객, 가치, 수익창출 방법을 변환(전환)하는 것이다.

첫째, 고객전환을 통한 비즈니스 모델 혁신

2014년 1,000만 관객 영화로 등극한 베테랑에는 이와 같은 장면이 있다. 극 중 조태오 역할로 출현한 유아인 배우가 화장실에 가서 기저귀를 차는 장면이다. 실제 과거 삼성전자의 이건희 회장의 회의 시간

이 지나치게 길어 회의 참석자들이 회의 당일 물을 마시지 않거나, 아예 기저귀를 차고 회의를 참석하였다는 것에 영감을 얻어 영화의 한 장면으로 나타나게 되었다. 기저귀 회사의 과거 고객은 기저귀를 차야하는 아기들이었다. 전 세계적인 출생률 격감으로 이와 같은 고객의 숫자는 날이 갈수록 줄어들고 있고, 매출액도 이에 비례하여 줄어들고 있다. 기저귀 회사들은 기존고객을 다른 고객으로 전환(변화)함으로써 이와 같은 현상을 타개할 혁신을 만들 수 있다. 바로 고객을 아기가 아닌 기저귀를 차야 하는 직장인이나 어르신과 같은 다른 집단을 설정하는 것이다.

일본의 대표적인 게임기 제조사인 닌텐도의 사례를 들어보자. 19세기 말 화투를 제작하던 기업으로 출발한 닌텐도사는 1945년 2차 세계대전 이후 전자기술을 접목하여 오락실 게임기를 개발하여 시장에서 승승장구하였다. 이런 와중에 강력한 경쟁 기업이 등장하였는데, 바로 소니이다. 소니는 새로운 신기술로 무장하고 경쟁기업인 닌텐도를 위협하며 시장을 잠식하였다. 닌텐도는 이에 어떻게 대응하였을까? 소니와 마찬가지로 새로운 기술개발에 주력하였을까? 새로운 기술 개발에는 시간과 많이 소요되고 비용도 많이 든다. 닌텐도사에서는 새로운 기술을 개발하는 방법 대신 비즈니스 모델을 변화시키는 것을 혁신의 방법으로 선택하였다. 즉 비즈니스 모델의 구성요소 중 첫 번째인 고객을 전환한 것이다. 닌텐도사는 게임기 제조사이고 게임기의 고객은 청소년이다. 기존 청소년 고객 대신 성인이라는 집단을 새로운 고객으로 설정하였다. 기존에 게임에 관심 없는 성인들이 게임기를 사용하게 만들려면 어떻게 하여야 할까? 바로 비즈니스 모델의 구성요소 중 두 번째인 가치를 재미에서 운동 효과로 다음과 같이 전환하였다.

둘째, 가치전환을 통한 비즈니스 모델 혁신

닌텐도사에서는 기존 청소년이라는 고객 대신 성인들을 고객으로 전환하고 이들이 게임을 하게 만들기 위해서는 새로운 가치로 전화하여야만 하였다. 청소년들이 게임을 하는 이유가 무엇일까? 바로 재미라는 가치를 얻을 수 있기 때문이다. 성인들을 게임을 하게 만든다면 어떤 가치를 제공하여야 할까? 단순히 재미만 있다고 성인들은 게임을 하지 않는다. 재미 이외에 새로운 가치가 필요하다. 이를 위하여 닌텐도사에서는 바로 “운동 효과”라는 가치를 개발하였고, 이를 위(Wii)라는 제품으로 구현하여 출시한 것이다. 성인들은 집안에서 게임 하듯이 탁구, 골프, 테니스를 칠 수 있었고 이와 같은 운동을 게임하듯이 즐기면서 자연스러운 운동 효과로 연결될 수 있었다. 게임은 청소년과 같은 아이들이나 하는 것으로 생각하였는데, 이제 성인들도 게임의 중요한 고객으로 자리매김하게 된 것이다. 재미라는 가치 이외에 운동 효과라는 가치를 제공하여 닌텐도사는 소니와의 경쟁에서 밀리지 않을 수 있었다.

셋째, 수익 전환을 통한 비즈니스 모델 혁신

우리나라 비데 기업 중 대표기업은 어느 기업일까? 룰루 비데를 생산한 코웨이가 아닐까? 여겨진다. 코웨이는 학습지 회사로 시작하여, 정수기 사업에 성공적으로 진출하였고, 이후 공기청정기, 다시 비데 사업에 진출하였다. 화장실 비데를 처음 사용한 고객들은 코웨이의 룰루 비데가 제공하는 새로운 청결함과 상쾌함이라는 가치에 고객들은 비데를 구입하고 싶었는데, 당시 비데 가격은 70만 원에 육박하였다. 비데를 사용한 고객은 비데가 제공하는 가치에 감탄하였지만 가격을 듣는 순간 너무 비싸다고 생각하였다. 비데는 생각만큼 팔리지 않았고, 이때 코웨이의 접근 방법은 수익창출 방법을 전환한 것이다. 바로 70만 원짜리 비데라는 제품을 판매하는 것이 아니라, 한 달에 1만 6천 원을 지불하면 비데를 빌려 쓸 수 있는 렌탈(임대) 모델을 선보인 것이다. 70만 원이라는 가격에 거부감을 가졌던 고객들이 1만 6천 원이라는 가격에 대해서는 지갑을 열기 시작하였고, 과거 학습지 사업을 통하여 고객과의 관계성 구축에 대한 노하우가 경쟁우위였던 코웨이는 주기적으로 필터를 청소하고 교환하는 역할을 수행하여 주는 코디를 통하여 고객과의 관계성 구축에 있어서도 타 경쟁기업과 차별화할 수 있었다. 2024년 2월 기준 이와 같은 렌탈방식에 기반을 둔 수익모델은 구독경제라는 명칭으로 다양한 분야에 활용되고 있다.

한마디 : 비즈니스 모델은 고객, 가치, 수익에 대한

체계이다.

제31장 비즈니스 모델과 구분하여야 되는 용어

필자가 비즈니스 모델에 관해 강연을 하다보면 분명히 다른 개념인데, 의외로 많은 사람들이 구분하지 않고 사용하는 용어가 존재한다. 바로 아이디어, 아이템, 비즈니스 모델, 사업계획서의 차이점이다. 이 용어들을 구분하지 않기 때문에, 아이디어 단계에 불과한데 사업계획서 단계의 일을 수행하거나, 그와 같은 성과를 요구하기도 하고, 비즈니스 모델 단계에서 아이템 단계에서 수행할 일들을 벌이고 있는 경우를 자주 보게 된다. 해당 용어들의 차이점을 다음과 같은 사례를 사용하여 살펴보자.

코로나 19로 인한 일상생활의 단절이 정상적으로 돌아오게 된 이후 2023년 한 해 동안 한국 사람들이 가장 방문을 많이 한 국가 1위는 일본이다. 오죽하면 노 재팬이 아니라 고 제팬이라는 말이 나타날 정도였다. 근소한 차이로 2위는 베트남이었다. 2위 베트남의 다양한 도시 중 한국 사람들이 가장 많이 방문한 도시는 다낭시 이다. 오죽하면 경기도 다낭시라고 별칭이 생길 정도로 수백만 명의 한국 사람들이 다낭시를 방문하였다. 필자도 23년 6월 다낭시를 방문하여, 다낭경제대학에서 교직원을 대상으로 특강을 진행하였다. 공식 일정 이후 현지지역을 이동할 때 베트남판 우버(Uber)에 해당하는 그랩(Grab)을 이용하여 현지인이나 관광객들이 시내 곳곳을 이동하는 것을 발견하고 그랩으로 자동차를 호출하여 합리적인 요금으로 편리하고 안전하게 다낭 시내를 이동할 수 있었다. 격세지감을 느낄 수 있었는데, 필자가 베트남을 처음 방문하였던 2003년에 이동수단 중 하나로 세옴 이라는 오토바이를 이용하였는데, 이용할 때마다 스트레스가 이만저만이 아니었다. 바로 요금으로 인한 세옴 기사와의 실랑이였다. 탑승 전에는 10분 거리를 한국 돈 1천 원 정도에 이동한다고 기사가 말하였지만, 탑승 후에는 갑자기 한국 돈 1만 원이라고 억지를 피우고 험악한 분위기까지 연출되던 기억이 난다. 베트남 현지에서 교통수단을 이용할 때, 겪게 되는 이와 같은 바가지는 필자와 같은 관광객 이외에, 현지인들도 자주 겪는 일상생활의 한 모습 중 하나였다. 이를 해결하고자 접근한 것이 다음의 아이디어 제시이다.

첫째, 아이디어(Idea)

하바드 경영 대학원에 재학 중이던 말레이시아 출신 앤서니 탄(Anthony Tan)이 이와 같은 불편함을 겪은 후 이를 해결하고자 접근하기 시작하였고, 오토바이나 택시와 같은 대중교통을 이용할 때 사기를 당하지 않고 안전하고 편리하게 이용하는 방법을 스마트폰 애플리케이션을 개발하여 사용자들에게 제공하고자 하였다. 이것이 아이디어의 시작이다. 바로 "사기를 당하지 않는 방법을 스마트폰을 통하여 제공하자"라는 아이디어를 제시한 것이다. 대한민국에서 동시에 같은 아이디어를 생각하는 사람이 30명이고, 그중 5명만이 실행에 옮기며, 실제로 1명만이 사업화에 나선다고 한다. 이는 아이디어 자체의 중요성과 더불어 실행력의 중요성을 강조하는 말이다.

둘째, 아이템(Item)

위절에서 아이디어 제시는 나만이 아니라, 다른 사용자도 떠오를 수 있다고 말하였다. 중요한 것은 아이디어를 제시만 하는 것이 아니라 이를 실행하는 것이다. 즉 해당 아이디어를 제품이나 서비스 형태로 구체화 하는 것이 필요하고, 이와 같이 아이디어가 구체화한 것이 아이템이다. 그랩의 창업자인 앤서니 탄은 2012년 3월 자신의 아이디어의 구체화를 실천하여 스마트폰 애플리케이션 형태로 그랩을 개발하였다. 아이디어를 아이템으로 현실화시킬 때, 현실화 가능 여부 즉 타당성을 기준으로 실천 여부를 판단하여야 하는데, 다양한 타당성 기준 중 대표적인 방법이 TELOS이다. 타당성 분석을 위해 사용되는 TELOS는 새로운 아이디어, 제품, 혹은 아이디어의 실행 가능성을 평가하는 방법론 중 하나로써, TELOS는 아이디어의 기술적, 경제적, 법적, 조직적, 그리고 일반적인 사회적 요인에 대한 타당성을 다음과 같이 평가한다.

T (Technical Feasibility - **기술적 타당성**): 아이디어가 기술적으로 실행 가능한지를 평가하는데, 이는 기술적인 장벽이나 문제점이 있는지, 필요한 기술이 이미 존재하는지 등을 고려하는 것이다.

E (Economic Feasibility - **경제적 타당성**): 아이디어가 경제적으로 실행 가능한지를 평가하는데, 이는 예산, 수익 기대치, 비용 대비 이익 등을 고려하여 아이디어의 경제적 가치를 분석한다.

L (Legal Feasibility - **법적 타당성**): 아이디어가 법적으로 실행 가능한지를 평가하는데, 이는 규제,

법적 요구사항, 특허 등의 측면을 고려하여 법적으로 문제가 없는지를 판단한다.
O (Operational Feasibility - **조직적 타당성**): 아이디어가 조직적으로 실행 가능한지를 평가하는데, 이는 조직 내부의 리소스, 역량, 구조 등을 고려하여 프로젝트를 수행할 수 있는 조직적 환경이 있는지를 평가한다.

S (Scheduling Feasibility - **일정 타당성**): 아이디어가 시간적으로 실행 가능한지를 평가하는, 이는 아이디어의 일정, 마일스톤, 제한 시간 등을 고려하여 아이디어를 시간 내에 완료할 수 있는지를 판단한다.

TELOS는 아이디어를 종합적으로 평가하여 실행 가능성을 판단하는 데 도움이 되는데, 이러한 평가는 아이디어의 성패를 결정하는 중요한 요소 중 하나이며, 타당성 분석을 통해 프로젝트의 성공 가능성을 높일 수 있다.

셋째, 비즈니스 모델

"스마트폰 앱으로 사기를 당하지 않게 하자."라는 아이디어를 "그랩 앱"이라는 아이템으로 개발하였고, 개발된 "그랩 앱"의 고객, 가치, 수익에 대한 체계적인 정의가 비즈니스 모델이다. 그랩 앱의 고객은 외국인 관광객, 현지 주민으로 설정할 수 있고, 이들에게 제공되는 가치는 "합리적인 가격, 안전함, 편리함"이 될 수 있고, 그랩은 관광액과 현지 주민이라는 고객에게 합리적인 가격이라는 가치를 제공하고 중개수수료, 광고비와 같은 수익을 창출할 수 있다. 이와 같이 비즈니스 모델은 "우리의 고객은 누구이어야 하고? 고객에게 어떠한 가치를 제공할 것이며, 이와 같은 가치제공을 통하여 어떠한 수익을 얻을 것인지에 대한 체계"이다.

넷째, 사업계획서

아이디어를 아이템으로, 다시 아이템을 비즈니스 모델로 전환하였다면, 해당 비즈니스 모델을 가지고 실제 사업화를 진행할 때, 필요한 인력은 누구이고, 자금은 어떻게 조달할 것이고, 어떻게 판매할 것인지에 대한 청사진이 바로 사업계획서이다. 다시 말하자면,

사업 계획서는 사업을 시작하거나 확장하기 위한 로드맵이자 설계도로, 사업을 운영하고 성장시키기 위해 필요한 모든 정보와 계획을 담은 문서이다. 사업 계획서는 매우 중요하며, 사업 주인이나 투자자, 파트너, 은행 등에 제출되어 사업 아이디어와 실행 계획을 설명하는데, 다음과 같은 역할을 수행한다. 사업 계획서는 사업의 모든 측면을 체계적으로 계획하고 설명하는 중요한 문서로 사업주는 투자자나 파트너에게 설득력 있는 계획을 다음과 같은 내용을 통하여 제시할 수 있다.

개요와 목적 제시

사업 계획서에는 사업의 개요와 목적이 포함된다. 사업계획서에는 사업의 명칭, 주요 제품 또는 서비스, 목표고객, 사업 목표와 경쟁우위가 포함된다.

시장조사

사업 계획서는 시장 조사와 분석을 포함하는데, 해당 시장의 규모, 성장 전망, 경쟁사, 고객 프로파일 등에 대한 정보를 제공하고, 제품이나 서비스의 고유 가치 제안과 경쟁 우위를 설명한다.

조직구조와 운영계획

사업 계획서에는 조직 구조와 운영 계획이 포함되는데, 사업 소유자와 팀 구성원, 조직의 기능 및 책임, 운영 일정, 생산자와 공급자에 대한 관리계획이 제시된다.

마케팅과 판매 전략

사업 계획서는 마케팅 및 판매 전략을 다룬다. 바로 제품이나 서비스를 홍보하고 판매하는 방법을 제시하고, 마케팅 전략, 광고 캠페인, 가격 책정 전략, 유통 채널 등에 대한 구체적인 부분이 포함된다.

재무계획

사업 계획서에는 재무 계획과 수익 모델이 포함되는데, 초기 자본 투자, 예상 수익과 비용, 현금 흐름 예측, 이익 목표 등을 제시하고, 사업의 수익 모델과 가치 제안이 이익을 창출하는 방식을 제시한다.

위험분석

사업 계획서에는 위험 분석과 대책이 포함되는데, 사업을 진행하면서 발생할 수 있는 위험과 그에 대한 대응책을 제시한다.

한마디 : 아이디어, 아이템, 비즈니스 모델, 사업계획서를 구분하자.

제32장 마케팅은 어필하는 것이다

전장에서 경영학의 세 가지 체계는 사람, 돈, 시설이라고 제시하였다. 다시 말해 사람은 고객, 경쟁자, 직원으로 구분할 수 있다고 하였다. 고객에 대한 체계를 본서에서는 마케팅으로 정의하였고, 경쟁자에 대한 체계를 본서에서는 전략이라고 정의하였고, 직원에 대한 체계를 본서에서는 인적자원관리로 정의하였다. 세 명의 사람 중 첫 번째인 고객을 체계적으로 관리하는 마케팅에 대하여 본 장에서 살펴보자.
마케팅을 한마디로 어떻게 정의할 수 있을까? 2025년 미국 대통령 선거에서 공화당의 트럼프와 바이든이 격돌하게 되었을 때, 각 후보들은 유권자라는 고객들에게 "자신을 선택하여 주세요."라고 어필(Appeal)하게 된다. 대학을 졸업하고 면접을 보는 것은 어떨까? 면접관이라는 고객에게 "자신을 선택하여 주세요."라고 어필(Appeal) 하게 된다. 좋아하는 사람에게 프러포즈하는 것은 어떨까? 역시 남자 혹은 여자라는 좋아하는 사람에게 "자신을 선택하여 주세요."라고 어필(Appeal) 하는 것이다. 마케팅은 우리 기업의 제품 혹은 서비스가 선택되도록 고객에게 어필(Appeal)하는 것이고, 이와 같은 어필을 체계적으로 수행하기 위해서는 3C 분석, STP 분석, 4P 믹스 설정이라는 과정을 수행하게 된다.

3C 분석

3C는 고객(Customer), 경쟁자(Competitor), 자사(Company)를 분석하는 마케팅의 시작점이다. 누가

우리의 고객이 되고, 고객과 소비자는 구분되고, 영향을 미치는 자가 누구인지 분석하게 된다. 경쟁자 분석은 동일제품, 카테고리, 가치차원에서 현재의 경쟁자와 잠재적 경쟁자를 분석하게 되고, 자사분석은 우리 기업의 강점과 약점을 SWOT, 가치사슬분석, 7S 분석과 같은 도구를 사용하여 분석활동을 수행하게 된다.

[그림58] 마케팅은 어필하는 것이다.

STP 분석

STP 분석은 세분화(Segmentation), 목표설정(Targeting), 포지셔닝(Positioning)으로 구성된다. 모든 사람이 우리의 고객이 될 수는 없으므로, 목표고객을 정확히 결정하기 위해 세분화 작업이 필요하다. 남자 혹은 여자, 성인 혹은 아동, 10대 혹은 40대로 고객을 세분화하고, 이중 누구를 고객으로 목표로 하여야 할지 결정하는 것이 목표설정(Targeting)이다. 목표 설정이후 해당 제품과 서비스를 거기에 맞추는 것이 포지셔닝(Positioning)이다. 보다 자세한 부분은 경영학의 마케팅 과목을 통하여 학습 할 수 있다.

4P분석

4P 분석은 어떤 제품(Product)을 얼마의 가격(Price)에 어떠한 방법으로 알리며(Promotion), 어떤 유통경로(Place)를 통하여 판매할 것을 결정하는 것이다. 흔히 제품, 가격, 촉진, 유통에 대한 의사결정이라고 말할 수 있는데, 예를 들어 농심이라는 기업에서는 신라면이라는 제품을 1,000원이라는 가격에 손흥민을 활용한 광고라는 촉진활동을 수행하면서,

편의점이라는 유통경로를 통하여 판매하겠다고 결정한다면, 신라면은 제품, 1,000원은 가격, 손흥민 광고는 촉진, 편의점은 유통경로가 되는 것이다.

마케팅은 어필하는 것이다. 우리는 누구나 인생에서 두 번의 중요한 어필을 하게 된다. 바로 나의 인생에서의 직업을 구할 때와 인생을 누구와 함께 할 것에 관한 부분이다. 인생에서 직업을 구할 때는 여러분을 선택할 면접관 앞에서 자신을 어필하여야 하고, 인생의 반려자를 구할 때는 좋아하는 사람 앞에서 자신을 어필하여야 한다. 이와 같은 어필을 체계적이고 과학적으로 그리고 지속 가능하게 수행하는 방법이 바로 3C=>STP=>4P 인 것이다.

한마디 : 마케팅은 어필하는 것이다.

제33장 전략은 차별화 하는 것이다.

전략은 기업이 어떤 사업에 진출하거나 철수할 것인지, 어떤 방법으로 경쟁할 것인지를 결정하는 체계로, 경쟁자를 이기기 위한 계획을 포함한다.

세 가지 차원의 전략

전략에는 세 가지 차원의 전략이 존재한다. 바로 기업전략, 경쟁전략, 기능전략이다. 삼성전자가 과거 가전 중심 기업에서 세계적인 기업으로 성장한 배경에는 창업자인 故 이병철 회장이 반도체 사업에 진출할 것인지를 결정한 부분에서 시작되었고, 삼성에서 반도체 사업에 진출할 것인지를 결정하는 것은 바로 세 가지 차원의 전략 중 기업전략에 해당하고, 삼성전자가 진출한 반도체 사업에서 우수한 품질로 경쟁할 것인지? 저렴한 가격으로 경쟁할 것인지를 결정한다면 이것이 바로 경쟁전략이고, 궁극적으로 차별화(제품, 가격, 고객) 방법을 선택하는 것이라고 할 수 있다. 삼성의 반도체 사업 진출 결정은 기업전략의 일부이다. 이 사업에서 삼성전자는 품질이나 가격으로 경쟁할지 결정하게 되는데, 이는 경쟁전략에 해당한다. 이러한 결정은 제품, 가격, 고객 측면에서 어떻게 차별화할지를 결정하는 과정이다.

기업은 진출할 분야를 선택하는 것뿐만 아니라, 기존에 진출한 분야에서 철수할지 여부를 결정하는 것도 중요한 사업전략의 일부이다. 예를 들어, 삼성그룹은

1997년 IMF 사태 이전 자동차 사업에 진출하였다가 철수하였고, 엘지그룹은 스마트폰 사업에서 2020년 초반 철수를 결정하였다. 역시 이 또한 사업전략으로 구분할 수 있다.

엘지그룹의 엘지전자가 스마트폰 사업에서 철수한 원인은 무엇일까? 과거 스마트폰 이전 피처폰 시대에는 엘지전자의 초콜릿폰, 와인폰이 시장을 석권하였지만, 스마트폰 시대에 엘지전자의 대표 브랜드인 G 시리즈, V 시리즈는 그러하지 못하고 결국 철수라는 방법을 선택하였다. 삼성의 갤럭시나 애플의 아이폰이 우수한 품질을 바탕으로 제품 차별화라는 경쟁전략을 갖추었고, 샤오미의 경우 저렴한 가성비를 바탕으로 가격 차별화라는 경쟁전략을 갖추었다면, 엘지전자의 스마트폰은 제품차별화도 아니고 가격차별화도 아닌 이도 저도 아닌 위치로 말미암아 결국 시장에서 철수하게 되었다.

어떤 분야에 진출하고 어떠한 방법으로 경쟁할 것인지를 선택하는 것이 전략의 첫 출발점이라면, 이와 같은 진출 분야와 경쟁 분야를 선택하기 위해서는 중국의 손자병법에서 말하는 것처럼 “지피지기”의 수단으로 자신을 알고 경쟁기업을 알아 자신의 강점과 약점, 기회와 위협을 파악하는 것이 필요하다. 이를 위하여 다양한 도구들이 사용되는데, 전략 수립을 위하여 사용되는 대표적인 도구로 SWOT 분석, 산업구조분석, 가치사슬분석, BCG 매트릭스 분석, 7S 분석 등이 존재한다.

SWOT 분석

SWOT 분석은 기업의 강점(S; Strength)과 약점(W; Weakness), 그리고 기회(O; Opportunity)와 위협(T; Threat)에 대하여 살펴보는 것이다.

예를 들어 애플이 테슬라와 같은 전기 자동차[17]를 생산하고자 전기 자동차 사업에 진출할 때 본인의 강점은 아이폰으로 대표되는 스마트 생태계를 구축하였다는 것이고, 약점은 자동차 제조경험이 없다는

---

17) 2024년 기준 애플은 전기자동차 사업에서 철수하였다.

것이다. 기회는 전기 자동차 사업이 비약적으로 성장하고, 각국의 정부마다 전기 자동차 구입에 보조금을 지급한다는 것이고, 위협은 기존 가솔린 자동차 제조사들이 전기 자동차를 제작하기 시작하는 것이라고 SWOT 분석을 통하여 파악할 수 있다.

[그림59] SWOT 분석

분석 결과를 기반으로 전기 자동차 사업의 진출 여부, 진출 시점을 결정하게 되고, 강점을 잘 활용하기 위하여 무엇을 하여야 하고, 약점을 극복하기 위하여 무엇을 하여야 하고, 기회를 어떻게 활용하여야 하고, 위협에 어떻게 대처하여야 할 것인지를 종합적으로 제시할 수 있다.

산업구조분석

산업구조분석은 기업이 자신이 진출하고자 하는 산업의 기존 경쟁자 대체재, 잠재적 진입자, 구매자, 공급자는 누구이고 어떤 상호작용이 발생하는지를 종합적으로 분석하는 것이다. 예를 들어, 라면 제조사인 농심에서 라면을 판매할 유통채널로 편의점을 선택하고 편의점 사업에 진출한다고 가정할 때, 첫째, 편의점 산업의 기존 경쟁자가 누구인지 파악하여 CU, 세븐 일레븐, GS25, 이마트24가 존재함을 알게 되고 이들 간의 경쟁의 정도 또한 파악할 수 있다. 둘째, 편의점 산업에 진출하였을 때, 고객들이 편의점 대신 선택할 수 있는 대체재에 대하여 파악하는 것이다. 예를 들어, 신라면을 구입하기 위하여 편의점에 고객이 갈 수도 있지만, 쿠팡과 같은 온라인 기업을 통하여 구매할 수도 있고, 할인점에서도 구매가 가능할 것이다. 즉, 대체재가 다수 존재함을 파악할 수 있다. 잠재적 진입자는 편의점 산업에 농심 말고 진출하고자 하는 다른 기업이 있는지를 파악하는 것이다. 1인 가구의 성장으로 편의점 산업이 계속 성장한다면 다른 기업, 예를 들어 삼양식품도, 오뚜기도 팔도도 편의점 산업에 진출을 준비할 수 있고, 농심 입장에서 이와 같은 기업들은 잠재적 진입자가 된다. 농심이 편의점 산업에 진출하게 될 때, 구매자는 누가 될 것인지? 1인 가구인지? 4인 가구인지? 직장인이 주로 될 것인지 파악할 수 있고, 편의점의 제품을 공급할 공급자는 누구이고? 이와 같은 구매자와 공급자와의 관계, 즉 협상력은 어떠한지도 종합적으로 파악하고 편의점 산업 진출 여부를 결정할 수 있게 된다.

가치사슬분석

산업구조 분석을 통하여 기업 외부에서 수행되는 환경에 대하여 살펴보았다면 가치사슬분석을 통하여 기업 내부에서 수행되는 활동을 주된 활동과 보조 활동으로 구분하고 이와 같은 활동들을 직접 수행할 것인지? 외부에 위탁(아웃소싱)할 것인지를 결정할 수 있는데 이를 가치사슬분석으로 제시할 수 있다.

예를 들어보자. 농심에서는 신라면을 생산하기 위하여 밀가루 구입(재료 조달)=>면과 스프 생산 => 할인점이나 편의점으로 운송(물류) => 손흥민을 광고모델로 판촉(마케팅)의 활동을 거친다.

[그림60] 가치사슬 분석

이를 신라면을 생산하기 위한 주된 활동(Primary Activities)라 하고 이와 같은 주된 활동들을 지원하는 어떤 사람을 채용하여 배치할 것인가?(인적자원관리), 매출, 수익, 비용은 어느 정도 발생하는가?

(회계)와 같은 보조 활동(Secondary Activities)들이 존재한다. 가치사슬은 밀가루가 밀가루 반죽이 되고 밀가루 반죽이 면이 되고 면이 스프와 함께 봉지에 담기고, 봉지면이 상자로 포장되어 최종적으로 가치가 단계적으로 창출되는 과정으로 설명할 수 있다.

BCG 매트릭스 분석

BCG 매트릭스는 기업이 자사의 제품 또는 서비스를 관리하고 향후 전략을 개발하는 데 도움이 되는 전략적 관리 도구이다. 이것은 보스턴 컨설팅 그룹(Boston Consulting Group; BCG)에 의해 개발되었으며, 제품 포트폴리오를 분석하고 적절한 전략을 결정하는 데 사용된다. BCG 매트릭스는 제품이나 서비스를 "성장률"과 "시장점유율"의 관점에서 분류하는데, 성장률은 시장이 얼마나 빨리 성장하는지를 나타내고, 시장점유율은 회사가 전체 시장에서 차지하는 점유율을 나타낸다. 이러한 두 가지 요소는 제품이나 서비스가 회사에 어떤 영향을 미치는지를 이해하는 데 중요하다.

BCG 매트릭스는 4가지 구성요소를 농심에서 생산하는 위 그림의 라면 제품들을 기준으로 설명하여 보자.

첫째, Stars (별): 성장율과 시장점유율이 높은 제품이나 서비스를 나타내는데, 이러한 제품은 높은 투자와 관리가 필요하지만, 잠재적으로 높은 수익을 제공할 수 있다. 대표적으로 농심의 신라면이 해당한다.

농심 Brand 전체 면 스낵 음료 간편식 해외브랜드 기타 농심 mall 바로가기

신라면 더 레드	안성탕면	신라면	신볶게티큰사발면
신라면건면	신라면볶음면	신라면블랙	너구리
짜파게티	짜파구리	카구리	짜왕
육개장	오징어짬뽕	감자면	김치사발면
농심 사리면	둥지냉면	맛짬뽕	메밀소바
모듬해물탕면	배홍동	무파마탕면	멸치칼국수
보글보글 부대찌개면	사리곰탕면	새우탕	생생우동
야채라면	얼큰장칼국수	우육탕	찰비빔면
특육개장큰사발면	튀김우동	후루룩국수	농심가락(업소용)
누들핏	라면왕김통깨	사천백짬뽕	샐러드누들
파스타랑	후루룩쌀국수		

[그림61] 농심의 라면 브랜드[18]

18) https://brand.nongshim.com/main/index#

둘째, Question Marks (물음표): 성장률은 높지만, 시장점유율이 낮은 제품이나 서비스를 의미하는데, 이러한 제품은 미래의 Stars로 성장할 수 있는 가능성이 있지만, 투자와 리스크를 고려해야 한다. 매운맛 열풍으로 성장하고 있는 농심의 신라면 더레드가 해당한다.

셋째, Cash Cows (현금 소스): 시장점유율은 높지만, 성장률은 낮은 제품이나 서비스를 의미하는데, 이러한 제품은 안정적이며 수익을 안정화시킬 수 있다. 대표적으로 짜파게티 제품이 여기에 해당한다.

4. Dogs (개): 성장률과 시장 점유율이 모두 낮은 제품이나 서비스로, 이러한 제품은 보통 수익을 거의 생성하지 않으며, 회사의 자원을 효율적으로 관리하기 위해 검토해야 한다. 시장철수를 단행한 농심의 과거 된장라면이 여기에 해당한다.

이렇게 BCG 매트릭스를 통해 제품이나 서비스를 분류하고 이해함으로써 기업은 전략적으로 자원을 할

당하고 성장 가능성과 수익을 최대화할 수 있다. 이를 통해 기업은 경쟁력을 향상하고 장기적인 성과를 달성할 수 있다.

7S 분석

7S 분석은 기업이나 조직의 효율성과 성과를 평가하고 향상하기 위해 사용되는 도구로 기업 조직 내부의 여러 요소를 파악하고 관리함으로써 조직을 효과적으로 운영하는 데 효과적이다. 크게 일곱 가지 요소를 다음과 같이 제시할 수 있다.

첫째, Strategy(전략)

: 기업조직이 달성하고자 하는 목표와 그 목표를 이루기 위한 방법으로, 지도를 가지고 목적지를 정하는 것과 유사한 것으로, 우리 기업이 어떤 사업에 진출하여 어떠한 방법으로 경쟁할 것인지를 결정하는 것이다.

둘째, Structure(구조)

: 기업조직의 구조는 조직의 계층 구조와 역할, 책

임, 권한 등을 나타낸다. 예를 들면 주택의 구조와 방 구조와 같이 어떻게 조직이 구성되어 있는지를 설명하는 것이다. 흔히 구성원들의 역할과 책임(R & R; Role & Responsibility)으로 설명되기도 한다.

셋째, Systems (시스템)

시스템은 기업 조직이 작동하는 방식과 절차를 의미한다. 이는 마치 자동차의 엔진과 기어 시스템처럼 기업 조직이 작동하는 방식을 설명하는 것이다.

넷째, Skills (기술)

기업 조직 내 구성원들의 기술과 능력을 나타낸다. 이는 마치 스포츠팀의 선수들이 가지고 있는 기술과 능력을 설명하는 것과 유사하다.

다섯째, Staff (인력)

인력은 조직 내부의 구성원들을 의미한다. 이는 마치 학교의 선생님들과 학생들로 이루어진 학급과 같이 가업 조직 내부의 어떤 인력들이 근무하는지를 나타내는 것이다.

여섯 번째, Style (작업 방식)

작업 방식은 기업 조직 내부의 문화와 리더십 스타일을 나타낸다. 이는 마치 학교나 가정에서의 규칙과 문화를 설명하는 것과 유사하다.

일곱 번째, Shared Values (공유 가치)

공유 가치는 기업 조직 내부의 가치관과 목표를 나타낸다. 이는 마치 학교나 가정에서 공동의 목표나 가치를 나타내는 것과 유사하다.

이와 같이 7S 분석은 기업 조직의 일곱 가지 측면을 분석하여 기업 조직이 조화롭게 운영될 수 있도록 지원한다.

한마디 : 전략은 차별화 하는 것이다.

제34장 인적자원관리는 또 다른 고객 만족

2014년 tvN을 통하여 방영된 드라마 "미생"이 원 인터네이셔널이라는 대기업을 무대로 한 것이라면 2021년 왓차를 통하여 선보인 드라마 "좋좋소"는 정승네트워크라는 중소기업을 무대로 진행된 재미있는 드라마였다. "좋좋소"에서 한 신입사원이 면접을 보고 근로계약서를 작성하고 연봉협상을 수행하는 직장인이라면 누구나 겪는 상황이 묘사되는데, 여기서 인적자원관리 혹은 인사관리에서 체계라는 체계가 있는 경우와 없는 경우가 현실감 있게 그려지고 있다.

채용과 근로계약서의 작성

드라마 "좋좋소"에서 신규 입사한 신입사원 조충범씨는 대표이사에게 근로계약서 작성을 요청하였는데, 대표이사는 "믿음으로 가는 것이지, 그런 게 왜 필요하냐고?" 대꾸하는 장면이 나온다. 근로계약서는 믿음으로 가는 것이 아니고, 반드시 작성하여야 된다. 근로계약서는 고용주와 근로자 간에 서로의 권리와 의무를 명확하기 위한 문서로, 근로관계를 분명히 정의하고 잠재적인 분쟁을 방지하기 위해 사용된다. 근로계약서는 법적으로 구속력이 있으며, 근로관계를 조직화하고 투명하게 한다. 근로계약서는 다음과 같은 내용을 포함한다.

첫째로, 근로계약서에는 당사자의 정보가 포함되는데, 고용주와 근로자의 성명, 주소, 연락처 등이다. 이는 각 당사자가 서로를 인식하고 신원을 확인할 수 있도록 한다.

[그림62] 근로계약서의 서면 작성

둘째로, 근로계약서에는 근로 시작일과 종료일이 명시되는데, 근로자가 언제부터 일을 시작하고 언제까지 일을 하게 될지를 정의한다. 종료일은 일시적인 계약의 경우에만 해당할 수 있으며, 정규직 근로관계에서는 계약이 계속될 수 있다.

셋째로, 근로계약서에는 근무 시간과 임금에 관한 내용이 포함되는데, 근로자가 일주일에 몇 시간 일하게 될지, 근무 시간의 분배는 어떻게 되는지, 시급 또는 월급은 얼마인지 등을 명시한다. 임금 결정 방법과 지급 주기도 여기에 포함된다.

넷째로, 근로계약서에는 근로자와 고용주의 권리와 의무가 명시되는데, 근로자가 지켜야 할 규칙과 근로자에 대한 고용주의 의무, 그리고 고용주에 대한 근로자의 의무 등을 포함한다.

다섯째로, 근로계약서에는 휴가, 복지 혜택, 근로자 보호 등의 사항이 포함되는데, 근로자의 휴가 사용 방법, 복지 혜택의 종류와 지급 방법, 근로자를 보호하기 위한 정책 등을 다룬다.

마지막으로, 근로계약서에는 계약 종료에 관한 사항도 포함되는데, 근로자나 고용주가 어떤 상황에서 계약을 종료할 수 있는지, 그리고 어떤 절차를 따라야 하는지를 설명한다.

요약하자면, 근로계약서는 고용주와 근로자 간의 중요한 합의서로, 서로의 권리와 의무를 명확히 하고 잠재적인 분쟁을 예방하기 위해 사용된다.

임금 지급

근로자는 자신의 노동력을 제공하고 반대급부로 임금을 지급받는다. 이와 같은 임금을 지급할 때 지켜야 하는 다섯 가지 원칙이 존재한다.

[그림63] 임금 지급의 원칙

첫째, 직접불 원칙

직접불 원칙은 근로자가 고용주로부터 수령한 임금이 직접 그에게 지급되어야 함을 의미하는데, 근로자가 자신의 수고에 대한 보상을 직접 받아야 한다는 원칙으로, 중간에 제삼자를 통하지 않고 곧바로 근로자에게 임금이 지급되어야 한다는 것을 강조한다. 예를 들어, 근로자가 나이가 어리다는 이유로 부모에게 대신 지급하는 것은 안 된다는 것이다.

둘째, 통화불 원칙

통화불 원칙은 임금이 현금으로 지급되어야 함을 의미하는데, 근로자에게 임금을 지급할 때에는 현금으로 지불되어야 한다는 원칙으로, 임금의 지급이 투명하게 이뤄지고 근로자가 즉시 현금으로 받을 수 있도록 하는 것을 목적으로 한다. 예를 들어, 스마트폰 회사에서 이번 달은 매출이 부진하다는 이유로 현금 대신 스마트폰 몇 대를 월급 대신 지급하는 것은 통화불 원칙을 위반하는 것이다.

셋째, 전액불 원칙

전액불 원칙은 근로자가 정당한 임금을 전액 받아야 함을 의미한다. 즉, 근로자가 근로에 대한 보상으로 받아야 할 금액은 일정한 금액이 있을 때, 이를 전액 받아야 한다는 것으로 어떠한 공제나 차감 없이 근로자가 일한 대가를 완전히 수령해야 한다는 것을 강조한다. 예를 들어, 2024년 5월 300만 원의 임금이 지급되어야 하는데, 첫째 주에 100만 원을 먼저 지불하고, 두 번째 주에 나머지 300만 원을 지급해서는 안 되는 것이다.

넷째, 매월불 원칙

매월불 원칙은 임금이 근로자에게 매달 주어져야 함을 의미하는데, 근로자가 한 달 동안의 근로에 대한 보상을 매월 정해진 시기에 받아야 한다는 것이다. 예를 들어 이번 달에는 회사가 어려워 임금이 지급 안 되고, 다음 달에 몰아서 주겠다는 것은 매월불 원칙에 위배된다.

다섯번째, 정기불 원칙

정기불 원칙은 임금이 정해진 주기에 규칙적으로 지급되어야 함을 의미하는데, 일정한 주기(주, 월 등)에 따라 근로자에게 정기적으로 지급되어야 한다는 원칙으로, 임금 지급의 예측 가능성과 근로자의 금전적 안정을 위한 것이다. 예를 들어, 어떤 달에는 매월 초에 지급되던 임금이 매월 말에 지급되고, 또 어떤 달에는 월 중간에 지급 되서는 안 되고, 정해진 시점에 지급되어야 한다는 것이다.

근로 시간과 휴가

일반적으로 1주 근로 시간 은 휴게시간 제외 40시간 초과 하지 못하고, 1일의 근로 시간 은 휴게시간 제외 8시간 초과하지 못한다. 근로자의 동의가 있는 경우 1주 12시간 한도 연장근무가 가능하다.

연장 근로의 경우 1일 8시간, 1주 초과 근무시간에 대하여 시간급의 50% 더 지급하여야 하고, 야간 근로는 오후 10시에서 다음날 오전 6시까지 근무하는 경우인데 마찬가지로 시간급의 50%를 더 지급하여야 하고, 휴일 근로의 경우 8시간 이내인 경우 50% 더 지급하고, 8시간 이상인 경우 100% 더 지급하여야 한다.

1주일을 개근한 경우 보통 하루의 유급휴일(일반적으로 일요일)을 부여하고 1년간 80% 이상 출근한 직원에게 15일의 유급 휴가를 부여하여야 하고, 1개월 개근한 직원에게 1일의 연차 유급휴가를 부여하여야 한다.

퇴사

근무하던 회사를 퇴직하는 경우는 크게 세 가지이다.

첫째, 자진 퇴사

자진 퇴사로 흔히 사직이라고 한다. 드라마 이태원클라쓰에서 극 중 오수아가 장대희 회장에게 사직서를 제출하는 장면이 등장하고, 드라마 더글로리에서 극 중 박연진이 직장 내 학폭과 살인 당사자라는 구설수를 견디지 못하여 부장 앞에서 바로 사직서를 작성하는 자진 퇴사의 장면이 나오기도 한다. 자진 퇴사는 근로자 스스로의 의사에 의한 것이고 자발적인 퇴사이다.

자진 퇴사는 다양한 이유로 발생할 수 있는데, 1) 근로자의 삶의 변화나 경로에 따라 직업적인 방향성이 변함으로써 발생하는 경우이다. 예를 들어, 가족 사정, 건강 문제, 이직을 통한 경력 개발 등의 이유로 근로자가 자신이 근무하던 기업을 그만두는 것을 선택할 수 있다. 2) 근로 환경의 문제나 조직 내 문제로 인해 근로자가 회사를 떠나기도 하는데, 이는 직장 내 갈등, 부당한 대우, 업무 스트레스 등으로 인한 문제로 발생할 수 있고, 조직의 문화나 가치관의 불일치로 인해 근로자가 자진퇴사를 결정하기도 한다. 드라마 이태원 클라쓰에서 극중 박새로이의 아버지 역할로 나온 박성열이 아들이 가진 가치관을 지켜주기 위하여 스스로 기업을 그만두는 경우를 볼 수 있는데, 이에 해당하는 대표적인 예이다.

근로자 스스로 자진퇴사를 결정할 때 근로자는 두 가지를 고려해야 한다.

1) 적절한 시기를 선택하여야 하는데, 자진퇴사를 하는 근로자는 퇴사 전에 상사나 인사 담당자에게 퇴사 의사를 미리 통보하는 것이 바람직한데, 이는 조직 내의 원활한 인사 관리를 돕고, 퇴사에 대한 충분한 대비를 할 수 있도록 하기 위함이다.

2) 퇴사 이유와 관련된 이유를 명확히 이해하고 이를 회사 측에 설명할 수 있어야 한다. 즉, 퇴사 이유를 명확히 인지하고 직원관리에 대한 보완 및 대비를 할 수 있도록 해야 하기 때문이다.

둘째, 권고사직

흔히 합의해지라고 하는 권고사직은 고용주나 상사가 근로자에게 퇴사를 권유하는 것을 의미한다. 이는 기업 내부에서 일어나는 상황으로, 근로자의 업무 능력이나 조직적 필요에 따라 발생할 수 있다. 권고사직은 다음과 같은 상황에서 발생할 수 있다.

1) 근로자의 업무 성과가 조직의 기대에 미치지 못

할 때 발생할 수 있는데, 근로자가 직무를 수행하는데 필요한 역량이나 능력이 부족하거나, 업무에 대한 이해도가 낮을 때 발생한다. 2) 기업의 변화나 조정으로 인해 근로자의 역할이나 위치가 변화될 때 발생할 수 있는데, 이는 기업의 전략적 방향성이나 업무 환경의 변화에 따라 근로자의 역할이나 책임이 조정되어야 할 때 발생할 수 있다. 3) 근로자와 조직 간의 불일치가 발생할 때 발생할 수 있는데, 이는 근로자의 가치관이나 목표가 조직의 가치나 목표와 다를 때 발생할 수 있고, 근로자가 조직의 문화나 규칙을 따르지 않거나, 조직 내부의 갈등이 발생할 때도 권고사직이 이뤄질 수 있다. 2001년에 배우 이병헌 주연으로 개봉된 영화 "번지점프를 하다"에서는, 극중 이병헌과 학생인 서인우가 동성연애자라는 오해가 학교 내 발생하고, 수업 중 불려 가 교장으로 권고사직을 당하는 장면이 나온다. 2024년 1월 아시안컵 우승을 목표로 국가대표 감독직을 수행한 축구 감독 클리스만 또한 축구협회를 통하여 권고사직을 당한 경우가 이에 해당한다.

권고사직의 절차는 먼저, 상사나 인사 담당자가 근로자와의 개별 면담을 통해 상황을 설명하고 권고사직을 제안하는데, 이 때 근로자에게는 현재 상황과 개선이 가능한 점, 그리고 권고사직이 필요한 이유에 관해 설명하는 과정을 거친다. 그다음, 근로자와 상사 또는 인사 담당자 간에 의견을 교환하고 토의가 이루어지는데, 근로자는 자신의 입장을 설명하고, 문제를 해결할 수 있는 방안을 제안할 기회를 얻게 되고, 이 과정에서 상호간의 소통과 이해가 이뤄져야 한다. 이와 같은 과정을 거친 후 근로자와 조직 간에 합의된 결과에 따라 권고사직이 실행된다.

셋째, 해고

징계해고

징계해고는 근로자가 규정 위반, 직무 불성실, 윤리적인 문제 등의 이유로 회사의 내규에 따른 징계 조치를 받은 후, 문제가 개선되지 않아서 최종적으로 해고되는 상황을 의미한다. 이는 기업의 규정을 어긴 행동이나 성과 부족으로 인해 근로자에 대한 경고나 제재 등의 조치가 취해진 후에도 개선되지 않을 경우에 발생할 수 있다. 징계해고는 주로 중대한 규정 위반에 대한 회사의 대응 방안으로 사용된다. 예를 들어 도덕적인 부정행위, 기밀 누설, 업무 수행 불성실 등이 해당된다. 기업은 징계해고를 시행하기 전에 근로자와의 원만한 소통을 위해 노력해야 하며, 필요에 따라 규정 위반 사항에 대한 근로자의 입장을 듣고 공정한 조치를 수행할 책임이 있다.

정리해고

정리해고는 기업의 구조 조정, 경영상의 변화, 생산량의 변동, 기술의 발전 등으로 인해 특정 부서나 직무에 대한 필요가 사라졌을 때 발생할 수 있다. 정리해고는 근로자 개개인의 업무 능력과 성과와는 무관하게 발생하는 것으로, 조직적인 변화에 따라 필요한 인력을 정리하는 과정이다. 2011년에 개봉된 영화 마진콜 에서는 인사팀 관계자들이 직원들을 찾아다니며, 기업의 상황을 설명하며 정리해고 대상자로 선정되었다고 전달하는 장면이 등장한다. 우리나라의 경우 IMF 사태 이후 이와 같은 정리해고가 본격적으로 기업 내 도입되기 시작하였다.

통상해고

통상해고는 근로자의 능력, 업무 성과, 조직의 필요 등과 관련하여 회사가 근로자를 해고하는 것으로, 근로자의 업무 능력이나 성과가 회사의 요구에 부합하지 않아 발생한다. 통상해고는 근로자의 역량과 관련된 이유로 발생하는 경우가 많으며, 근로자의 업무 불성실, 능력 부족, 조직적인 필요에 미치지 못하는 등이 해당한다. 예를 들어, 2023년 OTT 드라마 더 글로리에서 극 중 승무원으로 출현하던 혜정이는 사고로 말을 못하게 되었다. 승객 접대가 필수적 업무 역량인 승무원이 더 이상 대화를 못하게 된다는 것은 근로자의 업무능력이 상실된 것이고, 통상해고 대상이 될 수 있다.

한마디 : 내부 고객인 직원 만족부터

제35장 마무리 하며

경영의 근본적인 목표는 지속 가능하고 투명하며 환경을 해치지 않는 방식으로 수익을 창출하는 것이다. 2024년 현재, 기업들은 지속 가능성을 위해 ESG(환경, 사회, 거버넌스) 기준을 준수해야 한다.

코로나19 이후, 우리는 뉴노멀이라는 새로운 규칙을 경험하고 있다. 특히, 사회의 디지털화가 10년 이상 앞당겨진 것이 가장 큰 변화이다. 특히 챗지피티로 촉발된 생성형 인공지능은 기업이 비즈니스 하는 방법, 고객과 상호작용하는 방법, 수익을 창출하는 방법을 혁신적으로 바꾸어 놓게 될 것이다.

새로운 규제와 기술에도 불구하고, 경영의 핵심은 지속 가능한 수익 창출이다. 이 목표를 달성하기 위해, 사람, 돈, 시설을 포함한 체계적인 접근이 필요하다. 고객, 경쟁자, 직원 각각에 대한 체계적인 관리가 이를 지원한다.

본서에서는 경영의 세 가지 체계 중 사람에 대한 체계를 집중적으로 다루었고, 돈과 시설에 대한 체계는 상대적으로 그러하지 못하였다. 돈에 대한 체계는 회계학이라는 분야에서, 시설(기계, 재료, 방법)에 대한 체계인 생산관리, 정보기술 영역에서 학습할 수 있다.

본질과 체계의 두 번째 시리즈물로 시설이라는 체계에서 컴퓨터와 스마트폰이라는 기계를 사용하여 어떠한 방법으로 운용하고 수익을 창출하는지 "디지털대전환의 본질과 체계"라는 저서로 여러분을 다시 만날 수 있기를 희망한다.

마지막 한마디 : 경영학의 본질은 지속가능한 수익창출이고, 경영학의 체계는 3M이다.

저자소개

진동수(陳東秀)

경영학박사(고려대학교) 졸업

경영지도사(중소벤처기업부) 취득

02년부터 현재까지 경인여자대학교 경영학과 교수로 근무 중